일러두기

1.이 글에 나오는 인물의 이름은 모두 가명이다.
   다만 할머니와 외할머니 이름은 실명으로 기재했다.
2.경험 속에서 들었던 비속어를 순화하지 않고 그대로 썼다.
3.내가 가진 공격성을 포장하지 않고 그대로 표현하여 썼다.

장녀 해방일지

2부 잃어버린 시간을 찾아서

3부 평화로운 부모님과 미친 딸

아시아의 장녀

아시아의 장녀는 건드리지 말라는 인터넷 밈이 있다. 차분해 보여도 알고 보면 미친년이라서.

그럼, 장남, 차남, 차녀, 막내, 외동들은 건드려도 된다는 말일까? 아닐 것이다. 누구든 건드리면 좋아할 사람은 없다. 장녀라고 다르겠는가.

아시아의 장녀들이 차분해 보여도 어느 순간 갑자기 미친년이 되는 이유는, 겉으로는 보이지 않지만 마음 속 깊은 곳에 각자 뜨거운 분노버튼이 있기 때문이다. 옐로카드를 던져야 하는 바로 그 순간에 던지지 못하고 참다가, 100개쯤 쌓인 옐로카드에 불을 붙여 레드카드로 만들어 던진다고 해야 할까. 확실히 비정상적이긴 하다.

그 분노버튼은 자신의 뒤에 태어난 존재(주로 남동생)로 인해 받는 처우와 태도의 온도 차이를 오랜 시간 너무 많이 참다가 생긴다. 그녀들도 그 분노버튼을, 그 옐로카드를 쌓아놓고 싶지 않았다.

웬만한 것, 그리고 웬만하지 않아도 원만한 가족 분위기를 위해 거의 모든 것을 참아왔던 장녀의 내면은 이미 많은 분노가 응축되어 있는 폭발 직전의 상태, 옐로카드들의 방이다.

다들 아시다시피 장남은 집안의 모든 기대와 아낌없는 지원을 받는다. 장남 뒤에 누가 또 태어난다 해도, 장남에게 쏟아지는 특별한 혜택과 견고한 위치는 변하지 않는다. 이런 장남 우대 풍속은 아시아와 한국을 넘어 아프리카, 유럽 만국공통이다.

*

스무 살 때, 동생의 돈을 훔쳤다는 누명을 쓴 일이 있었다.

돈은, 동생의 방 서랍 안에서 나왔지만 나에게 다짜고짜 누명을 씌웠던 동생을 비롯해, 가족 중 어느 누구도 사과하지 않았다. 물론 이 일로 내가 삐진 것도 맞다. 하지만 이게 그렇게 큰 지분의 일은 아니다. 이 일 말고도 이전부터 비슷한 맥락의, 다양한 버전의 사건은 비일비재했다. 도둑 누명은 수없이 많은 사건들 중 하나일 뿐.

*

가족과 연락을 끊고 산 지 3년 반 정도 되었다. 길다면 길고, 짧다면 짧은 시간이다. 30대 초반 어느 시기에 며칠 정도, 길면 한 달 정도 연락하지 않은 적은 있었지만 이렇게 길게 연락과 발길을 끊은 적은 처음이다.
연락을 끊기 1년 전, 엄마가 연락이 와서 뜬금없이 남동생에게 500만원만 주라고 했다.

"너, T(남동생)에게 500만원만 보내라." 정말 딱 이 워딩으로 연락이 왔다. 앞뒤 설명 하나도 없이.

빌려주는 것도 아니고, 그냥 주라고? 내가 지금 제대로 이해한 게 맞는지 다시 물었다. 엄마가 말했다. "그래, T한테 오늘 내일 중으로 500만원만 보내."

"내가 왜?" 나는 당시, 먹고 죽을래도 당장 그 정도 돈이 없었지만 이유는 알아야 주든 말든 할 것 아니냐고, 도대체 무슨 일이냐고 물었다.

엄마는 한숨을 쉬며 말했다. 남동생이 카드 값을 여러 카드로 돌려막았는데, 대책도 없이 회사를 그만 둔 후 그게 여러 번 연체가된 모양이었다. 엄마가 아주 당당하게, 빚 받으러 온 사람처럼 돈달라고 말해서 나한테 떡고물 떨어질 만한 일이라도 동생이 한 줄알았다. 그럴 인간이 절대 아닌 걸 알고 있으면서도.

지겨웠다. 아버지는 이 일을 모르는 체 하기로 하신 것 같았다. 모르지 않으면서도.

장녀로서의 책임감, 무능하지만 안타까운 부모님.
   온 가족의 기대를 받고 자랐지만 도무지 재능이 뭔지
   알 수 없어 계속 투자해줘야 하는 장남.
   익숙한 구도죠.

『화이트 호스』, 〈오물자의 출현〉 p. 156 강화길,
문학동네 2020

강화길 소설 속에 등장하는 평범하고 우울한 4인가족의 모습이다. 소름끼치게 나의 가족과 닮아있다.

자주 내려가지 못하다 보니 오랜만에 본가에 내려가면 내 상황이나 기분이 아무리 형편없고, 다음 달 카드 값이 부담스러워도 좋은 딸인 척, 외식 계산을 하고, 때때로 부모님 선물을 사드렸고, 좋은 누나인 척 동생 용돈을 주며, 가족들의 기분을 맞춰주었다. 정작 내 기분은 뒤로 한 채.
그렇게 평범한 정상가족인 척 하하 호호 행복한 척을 해드리고 나서 서울 원룸으로 돌아오면 매번 내가 왜 이러고 사는 걸까 싶어지곤 했다.

내가 그동안 잘해드린 게, 오히려 잘못이었던 걸까? 나는 이미 이전에 동생이 금전적으로 힘들어하면 그가 빌려달라고 한 큰 액수의 돈까지는 아니어도 갚을 필요 없다고 하고, 그냥 용돈으로 생각하라고 말하며 50만원, 70만 원 정도를 보내주곤 했고, 너무 죽는 소리를 했던 어느 달에는, 이틀 뒤에 갚겠다고 해서 200만원인가 300만원인가를 빌려준 적도 두어 번 있었다.

동생은 이후 거의 매달, 아니 거의 매주 나에게 연락을 했다. 내가 답장을 못 하거나 연락이 늦을 때, 일을 할 수가 없을 정도로 집요하게 계속 연락했다.

이 문제 때문에 돌아버릴 것 같아서 아버지에게 T를 좀 도와주고 나중에 나눠서 갚으라고 하면 안 되겠냐고 말씀드렸던 적이 있었다. 아버지는 내 말에 아무런 말도 하지 않으셨다.

500만원이라. 갖고 있는 현금이 있는 것은 아니지만 정해진 날짜에 스트레스 없이 받을 수 있다는 확신이 있으면 직장인 대출을 받든 어떻게 해서든 못 빌려줄 것도 아니었지만, 동생은 돈을 빌려줬을 때마다 자신이 말한 날짜에 돈을 갚은 적이 한 번도 없었다. 아주 들들 볶아야만 빌려줬던 돈을 그것도 며칠 혹은 몇 달 뒤에 겨우 받아낼 수 있었고, 나는 그때마다 굉장한 피로감을 느끼고 동생의 돈 빌려달라는 연락을 피하게 되었다.

 엄마 역시 T의 금전 문제를 여러 번 해결해준 적이 있다는 걸 알고는 있었다. 나는 조심스럽게 엄마 마음도 편한 것은 아니겠지만 언제까지 T 돈 갚아주고 사실 거냐고 무조건 해결해주고 감싸기만 해서 될 게 아니라고 얘기를 꺼냈다. 엄마가 거칠게 말을 잘랐다.

"그래서, 500만원 줄 거야, 안 줄 거야?"
"갑자기 500만원을 어떻게 만들어. 그리고 그 정도 현금을 통장에 넣고 있는 직장인이 어딨어."

그러자 엄마는, 돈 줄 것처럼 말해놓고 사기친다며 불같이 화를 내더니, 매번 하는 레파토리를 시작했다. 글 쓴답시고 집 나가서 서울 가길래(조금 복잡한 사정이 따로 있지만, 아무튼 내 20대 때 목표가 상업 시나리오 작가로 성공하는 것이어서 20대 후반에 회사를 그만두고 부산에서 서울로 상경했다) 얼마나 잘난 척 살고 있는 줄 알았더니 개뿔 아무것도 없는 주제에, 네가 T 키웠으면 더 잘 키웠을 것 같으냐며 어디 감히 훈수냐며 짜증을 내고 울먹거리다가, 또 울음이 가라앉자 내가 잘 알지도 못할 맥락의 이야기를 한참 하다가, 그 이야기로 인한 감정쓰레기들을 나에게 던지고는 전화를 뚝 끊었다.

어쨌든 나는 분명히 거절을 한 것 같은데, 부모님이(혹은 엄마가) T에게 무슨 말을 한 것인지, 한동안 연락이 없던 동생이, 며칠 후부터 돈을 빌려달라며 다시 매주 계속 연락을 해오기 시작했다. 이번이 '진짜 마지막'이라고 하면서.

 지긋지긋했다. 확인을 하진 않았지만 보나마나 엄마와 아빠는 도와줄 수 없으니, 누나에게 연락을 해보라고 한 것일 것이었다. 내 촉은 그랬다.
 이건 가족 구성원으로서의 삶이 아니라 가족이라는 이름의 호구였다. 무엇보다, 돈을 빌려주고 나면 갚지도 않은 상태에서 다시 며칠 뒤 더 큰 금액을 빌려달라고 하던 그동안의 패턴으로 보았을 때 절대 마지막일 수가 없었다.

 동생 스스로도 자신의 말이 거짓말인 줄 알면서도, 돈을 빌리려고 아무 말이나 내뱉고 있다는 걸 알고 있을 것이다. T가 나를 누나로 존중한다면 계속 이렇게 나올 수는 없었다. 하지만 생각해보면 난 존중받았던 적이 한 번도 없었지.

 그런 생각이 들었다.

'이렇게 계속 살 수는 없어.'

 그렇게 나는 동생의 번호를 차단했다. 그리고 그게 언제까지일지 모르지만, 앞으로 가족 누구의 연락도 받지 않겠다고 생각했다.

1부

나는 왜 쓰는가

억울해서 쓴다. 진짜 억울해서.

누가 죄인인가

나의 가족은 반드시 사과해야 하는 상황이라도, 사과를 받아야 할 대상이 나일 경우에는 '너만 참으면 된다.'는 기적의 논리로 사과하지 않았다.

가장 또렷한 기억은 내가 스무 살 무렵 동생의 돈을 훔쳤다는 누명을 썼을 때였다. 동생이 자기가 모으는 저금통에서 10만 원 정도가 부족하다면서, 내가 가져간 게 아니냐고 누나 방에서 좀 찾아봐도 되냐고 물었다.

나는, 내가 가져간 게 아니라고 말한 뒤, 네가 딴 데다 쓰고 까먹은 게 아니냐고 잘 생각해보라고 했다. 말이 되든 안 되든, 매번 자신의 의견을 존중받아오던 동생은 내 말에 자신의 생각이 무시되었다는 느낌이 들었는지 흥분해서 미쳐 날뛰기 시작했다. 자신의 10만원을 누나가 훔쳤다고 소리치면서.

뭐랄까, 거의 지랄 발광이었다.

엄마는 미쳐 날뛰는 동생을 차분하게 타이르는 대신, 나에게 결백하면 네 방을 뒤져보면 되지 않겠느냐고 했다.

나는 분명하게 싫다고 말했지만, 그들은 무시하고 내 방에 들어와, 내 방을 뒤지기 시작했다. 결백하면 뒤지는 게 무슨 문제가 있느냐면서.

그렇게 엄마와 동생이 함께 내 방을 뒤졌고, 나는 내 공간이 난도질당하듯 뒤엎어지는 걸 봐야만 했다. 당연히 돈은 나오지 않았다. 결백의 유무와 상관없이 내 안의 무언가는 심하게 상처받았다.

그 지랄을 하고도 동생의 의심은 사라지지 않았다. 다 뒤진 후 엉망이 된 내 방을 나오던 동생이 어디 찾기 힘든 곳에 몰래 숨겼을 거라고 내뱉듯 중얼거리던 순간, 내 인내심이 툭 하고 끊어졌다.

"야. 니 방에 있어. 내가 찾아볼게."

이 때의 감정상태는, 뭐랄까 눈이 살짝 뒤집힌 상태라고 해야 할 것 같다. 너무 화가 나서, 너무 열이 받아서, 몸 안에 흐르는 피가 뜨거워지는 게 느껴졌다. 심장이 빠르게 뛰는 게 느껴졌다. 마치, 몸이 말하는 것 같았다. 참지 말라고.
심장이 불타오르는 것처럼, 말로는 다 표현할 수 없을 정도로 열이 받은 나는 두 사람이 말릴 새도 없이 동생의 방에 뛰어 들어가다시피 들어가 물건을 뒤졌다.

방을 뒤진 지 얼마 되지도 않아, 동생이 속옷을 넣는 서랍장 안 속옷들 아래에서 한창 유행하던, 발매한지 얼마 안 된 휴대용 게임기가 나왔다. 당시 TV광고로 많이 나온 일본의 유명 브랜드 제품이었고, 광고가 나올 때마다 갖고 싶다고 노래를 부르더니 저금통을 헐어 몰래 산 모양이었다.

 나는 득의양양해서 고개를 돌렸다. 보이지, 이 사람들아. 나는 결백하다고요.

"뭐야 그거."

 엄마가 말했다. 동생의 얼굴이 아차 하는 표정이 되었다.

"잃어버렸다던 돈으로 이거 산 거네."

 나는 미제 사건이 될 뻔 했던 사건을 끈질기게 추리해서 해결한 탐정이 된 기분이었지만, 너무 만족스러워하거나 잘난 척하면 건방져 보일까 봐 최대한 담담하게 말했다. 추리하자면, 동생은 동전저금통에서 돈을 꺼내 이걸 몰래 산 후, 그 정도 돈을 썼다는 사실을 까먹고 다시 뭔가를 사려고 보니 돈이 부족해서 나를 족친 것이었다.

"…어, 해결됐네. 다들 내 방에서 나가."
 동생이 말했다.

 해결…? 머리가 나쁜 건 알고 있었지만 이게, 어디가 어떻게 해결이 된 걸로 보이는 거지? 네 재산이 없어진 줄 알았는데 없어진 게 아니니 문제가 없다는 건가?

엄마에게 말했다. 내가 훔친 거 아닌 게 증명되었으니 동생을 혼내라고. 지가 몰래 게임기 사느라 돈 써놓고 나한테 누명 씌웠으니 야단을 치라고.

"에휴, 됐다. 찾았으면 됐지."

나는 최대한 이성적으로 화를 내지 않으려 애쓰며 엄마에게 동생을 혼낼 것을 다시 한 번 요청했다. 엄마는, 이 와중에 게임하러 자기 방에 기어들어가 문을 닫는 동생의 뒤통수를 방문이 완전히 닫힐 때까지 바라보다가 안쓰럽다는 듯, 동생 게임에 방해 안 되게 소곤소곤 말했다.

"얼마나 갖고 싶었으면 몰래 샀겠니. 우리한테 사달라는 말도 못하고. 하, 그리고 너는 니가 훔친 게 아니면 됐지, 누나 맞아? 속은 더럽게 좁아가지고, 뭘 또 이런 일로 동생 야단까지 치라고 부들부들하냐. 이런 말까지는 좀 그렇지만 내 자식이지만 추하다, 추해."

엄마는 나를 향해 눈을 흘기더니 혀를 찼다. 누나가 되가지고 이렇게 너그럽지 못해 대체 어디 쓰겠냐며 계속 중얼거리시면서.

그럼 내 억울함은? 이라고 항변하자 엄마는 너만 없었던 일이라고 치면 없는 일이 된다고 말했다.

"내가 너무 억울하고 화가 나는데 엄마는 없었던 일이라고 하겠다고? 내가 계속 없었던 일이 아니라고 하면 어떻게 할 건데요."
"그럼 니 손해지. 우리는 다 없던 일이라고 칠 건데."

엄마가 별 소릴 다 듣겠다는 듯 아무렇지 않게 대답했다.

'속이 좁은 나'는 거의 한 달이 넘게 엄마와 동생에게 사과를 요구했다.

 내 끈질긴 요청에도 엄마와 동생은 사과하지 않았다. 지나간 일을 가지고 왜 이러냐고, 언제까지 쪼잔하고 예민하게 굴 것이냐는 말을 하면서. 얼마 안 가 이 일은, 동생은 잃어버린 것을 찾고, 나는 속 좁은 누나가 되는 것으로 마무리되었다. 용서하지 않는 내가, 더 잘못한 것으로.

 나중에 이 일은 내 놀림거리가 되었다.

 '너 그때 기억나니? 니 동생 돈 잃어버렸다가 찾은 거, 몇날 며칠을 쫓아다니면서 죽어라 우리한테 사과하라고 한 거?'

착각

나는 올해로 독립한 지 10년 차가 되었다.

내 독립의 시작은 10년 전, 홍대 앞 여성전용 고시원 (지금은 없어졌다), 그 중 가장 저렴한 창문 없는 27만원짜리 방이었다. 언젠가 차근차근 돈을 모아서 독립하려는 생각을 하고 있었는데 그렇게 차근차근 준비할 수가 없었다. 전 남자친구의 끈질긴 스토킹 때문이었다. 헤어진 이후 그는 집, 회사 근처로 예고도 없이 끊임없이 찾아와 이야기 좀 하자고 했다. 5번쯤 그런 식으로 이야기를 했으나, 결론적으로 그의 뜻은 자신은 나를 놓아줄 생각이 없으니 다시 만나자는 것이었다(물론 나는 그럴 생각이 없었고).

*

결국 나는 생존을 위해 그와의 물리적 거리를 만들기로 했다. 그

방법이 서울로 가는 것이었다. 몇 년 전부터 시나리오 작가에 도전하기 위해 돈을 좀 모은 뒤 회사를 그만두고 서울에 올라가려고 계획하고 있었는데, 어쩔 수 없이 회사도 생각보다 빨리 그만두고, 급하게 서울로 올라올 수밖에 없었다. 당연히 독립이라고 하기엔 뭐 하나 제대로 갖추지 못한, 빈약한 독립이었다.

도망치듯 떠날 수밖에 없었기에, 내가 선택할 수 있던 공간은 고시원밖에 없었다.

나의 독립생활은 그렇게 갑작스럽게 시작되었다. 원하던 방식은 아니었지만, 이왕 서울로 독립한 김에 원래 꿈이었던 시나리오 작가가 되기 위해 영화 시나리오도 본격적으로 쓰기 시작했다. 그렇게 서울에서 시나리오 수업을 듣고, 다양한 작법 관련 책을 읽으며 매일을 보냈다. 물론 생계를 위한 일도 끊임없이 해야 했다.

6개월 뒤 고시원에서 원룸으로 옮겼다. 몇 번의 이사 끝에, 10년 만에 나는 전세대출을 받아 얻은 집에 살고 있다.

*

나는 대학교 3학년 때부터 학자금 대출을 받았고, 용돈은 아르바이트로 충당했다. 4학년 때쯤부터 부모님에게 손을 벌린 적이 없었다. 아빠는 그런 나를 기특해 했다. 내 딸, 너무 대견하다, 고 수시로 이야기하곤 했다. 남동생은 26살이던 해, 아직 대학을 졸업하지도 않은 시점에, 여자 친구 사귀려면 차가 있어야 한다면서 차를 사달라고 했다. 중고차는 쪽팔리니까 새 차로.

부모님은 네 상황에 무슨 차냐, 아직 졸업도 못한 상태에서 무슨 차냐, 하며 허락하지 않았다. 하지만 자신의 의견이 받아들여지지 않으면 늘 그렇듯 지랄 발광을 하는 동생은 지랄 3일 차에 허락을 받아냈고, 20대인 자신의 명의로 차를 구입하면 각종 세금이 많이 나온다며 엄마의 명의로 차를 구입했다. 새 차인 데다, 각종 옵션을 추가한 끝에 3천만 원 정도가 들었다.

 모은 돈도 없고, 고정적인 수입도 없는 20대의 남자애가 체면 차리겠다고 다들 이 정도는 한다며 이런 식으로 차 말고도 이런 저런 물질적인 지원을 뽑아내듯 받는데 반해, 나는 아무것도 요구하지 않았다. 아빠는, 남동생한테는 이것저것 해주는데 너한테는 해주는 게 없는 거 안다면서 미안해했다. 그러면서 나중에 살다가 힘든 일, 목돈 필요한 일 있으면 그땐 꼭 아빠한테 말하라고 했다. 무슨 일이 있어도 해주겠다고.

*

 독립 7년 차 되던 해, 나는 전세대출을 받기로 했다. 내가 들어가려는 전셋집은, 내 저축과 월세 보증금에 전세대출을 최대치로 받았을 때 300만 원 정도가 부족했다.

 나는 아빠에게 도와달라고 하기로 했다. 언젠가 내가 아빠에게 손을 벌리게 되는 때는, 집을 구매할 때쯤일 거라고 막연하게 계획하고 있었는데, 집값이 미쳐서, 아무래도 내 집 갖는 건 너무 먼 미래일 것 같았고 그 전에 월세라도 탈출하고 싶었다.

 나는 최대한 부모님의 도움을 받지 않고 살고 싶었고 그렇게 살고 있었지만 월세살이가 너무 지긋지긋했고 이번 일에 한번 도움을 받아보는 것도 솔직히 부담되는 일은 아닐 것 같았다. 사고를

친 것도 아닌데 내 인생 최초로, 아빠에게 손을 벌리는 것이어서인지 떨렸다. 생각해보면 엄청나게 큰돈도 아닌데 죄책감 비슷한 느낌도 들었다.

'아니야, 7년 넘게 나 혼자 힘으로 아등바등 살아왔으니 이 정도는 기대도 돼.'
'동생한테는 10년 전에 벌써 3000만 원짜리 차도 해주셨잖아, 나는 겨우 300만원, 그것도 빌리려는 거잖아.'

그렇게 스스로를 토닥이며 아빠에게 전화를 했다. 주변에 아빠의 직장동료들이 있는지 왁자지껄한 소음이 들렸다. 아빠는 반갑게 전화를 받으셨고 안부를 몇 분간 주고받다가, 용건을 꺼냈다.

문득 아빠의 말하는 톤이 딱딱해지는 것이 느껴졌다. 혹시 내가 어려운 부탁을 했나. 기분 탓일 수도 있지만 아빠의 목소리 온도가 내려간 것 같아서 마음이 쪼그라들었다. 나는 부탁을 회수해야겠다 싶었다. 아빠의 사랑을 잃으니 도움을 받지 않는 게 낫다고 생각했다. 아빠가 나에게 말할 수 없는, 말하기 힘든, 아빠 나름의 경제적 사정이 있을 수도 있으니까.

그동안 힘들 때마다 은행의 힘(단기대출)과 친구들의 도움을 받았지만, 부모님에게만큼은 금전적 어려움 없는 척, 멋지고 문제없는 척 살아왔었다. 이번에도 그렇게 할 수 있었다. 빚이 는다는 건 귀찮고 쪽팔리고 힘든 일이지만, 못할 일도 아니었다.

아빠에게, 도움을 주기 어려운 상황이시면 거절하셔도 된다고 다급히 말했다. 급한 건 아니고 한 달 반 정도 시간이 있다고 덧붙이면서. 좀 더 싼 집을 알아보거나 추가 대출을 알아봐도 되는데, 아빠가 예전에 힘들면 아빠에게 한번은 기대라고 해서, 그래서 부탁해보는 거라고. 그런데 아빠가 지금 빌려줄 상황이 안 되시는 거면 내가 알아서 해결을 해 보겠다고.

아빠의 목소리는 조금 전보다 부드러워지긴 했지만, 안부를 주고받던 때의 따뜻함이 없는 목소리로, 빌려주긴 뭘 빌려줘, 아빠가 그 정도는 줘야지, 아빠가 해준다니까, 하고 말했다. 진심이신가? 나는 아빠의 말이 의심이 되었는데, 그 말을 하는 아빠의 목소리가 묘하게 이상했기 때문이었다. 부드러워졌지만, 차갑게 부드러운 목소리였다.

나는 그 서늘함이 묘하게 신경이 쓰여서, 몇 번이나 안 되는 거면, 안 된다고 솔직하게 말씀하셔도 된다고 말했다. 안 된다고 하시면 빠듯하더라도 알아서 하겠노라고 말이다.

아빠는 나에게 말하는 것인지, 주변 동료들에게 말하는 것인지 모르게, "내가 해줘야지, 내 딸인데!"라고 다시 한 번 목소리를 높였고, "한 500만원 해줘? 가구 같은 것도 바꾸게?"라며 계좌번호를 보내라고 했다. "더 필요한 건 없어? 진짜 300만원 갖고 돼?"라는 아빠의 이어지는 말에, 한 100만원만 더 달라고 말을 바꿀까 하다가 그냥 300만원이면 충분하다고 몇 번이나 아빠 덕에 살았다며 감사하다고 사랑한다고 인사한 후 전화를 끊었다.

끊고 나니 나중에 집 살 때 도움 받을 조커 카드인데 겨우 이 정도 밖에 안 되는 금액으로 부탁을 써버려도 되나 싶기도 했다. 금전적인 부탁은 평생 딱 한번밖에 못 할 것 같은데, 10년 쯤 뒤에 3-4000만원 빌릴 수 있을지도 모르는 조커 카드를 지금 써버린 거면 어떡하지 걱정도 되었다.

그런데 마음 한 구석이 계속 쎄했다. 이 느낌은 예전 남자친구가 바람피우는 것 같을 때 느낌과 매우 비슷했다.

 에이, 아빠잖아. 아빠가 저렇게 사람들 많은 데서 호언장담 하며 약속하셨으니, 해주실만한 여력이 되서 해주시겠다고 한 거겠지. 무리한 부탁 아니었을 거야, 내가 안 되면 말해달라고도 몇 번씩이나 언급을 했는데, 그래도 된다고 계속 그러셨잖아? 돈 구하는 일 해결된 거야, 라고 생각했다.

 하지만 며칠 뒤, 보내드린 계좌로 돈은 입금되지 않았다.

 아빠에게 연락을 했다. 몇월 며칠이 이삿날이라는 것, 아무리 늦어도 그 전날까지는 입금이 되어야 입주가 가능하다고 말이다. 아빠는 전혀 걱정하지 말라고, 아빠가 꼭 해주겠다고 말했다. 이사 4주 전에도, 이사 3주 전에도. 그러다가 이사 2주 전부터 전화를 받지 않으셨다. 카톡 같은 건, 읽고 씹으셨다.

                                          *

 나는 구구절절한 내용의 카톡을 보냈다. 빌려주기 어려우신 거면 그냥 그렇다고 확실히 말해주시라고, 이렇게 사람 피 말리는 건 딱 질색이라고 말이다. 안 된다고 딱 부러지게 말을 하시면, 부족한 돈을 알아서 빌려보겠다고 장문의 카톡을 보냈지만, 아빠는 그마저도 읽고 답장을 하지 않았다.

 그냥, 미안하다고, 알아서 하라고 답장을 주시면 차라리 발 빠르게 다른 방법을 강구했으련만.

입주 일주일 전부터 입주 예정인 집주인의 대리인에게서는 계속해서 언제 입금이 되느냐며 독촉 연락이 왔다. 나는 금방 드리겠노라고, 이사 이틀 전까지 꼭 입금 드리겠다고 말했다. 아빠가 그때까지는 약속을 지켜줄 거라 믿으면서.

하지만 아빠는 계속 아무 연락이 없었다.

　나는 아빠에 대한 기대를 버리지 않으려고 안간힘을 썼지만 결국 이사 3일 전 마지막으로 아빠에게 연락을 드린 후 더 이상 연락하지 않았다. 내가 무슨 빚쟁이처럼, 마치 빚 받으러 연락하는 것 같아서 매일 조금씩 비참해지고 있던 참이었다. 솔직히 일주일 전부터 내 마음의 9할 정도는 안 빌려주시는 거구나 하는, 포기하는 마음이 지배적이었지만, 그럼에도 마지막까지 그날 아빠와의 전화를 끊었을 때의 그 쎄함이 제발 틀릴 수 있게 아빠가 약속을 지켜주기를 바랐다. 하지만 끝까지 아무 연락도, 입금알림도 없었다.

　결국 이사 전날, 현금서비스로 300만원을 받아서 부족한 전세금을 마저 입금 했다.

*

　어쨌거나 입주를 무사히 했고 몇 달 뒤 본가에 내려가 부모님과 식사를 했다. 아빠는 이사는 어떻게 되었느냐고 물었고, 나는 그때의 비참한 기분이 되살아날까 봐 자세히 말하기 싫어 얼버무리듯 그냥 잘 했다고만 언급했다.

　술이 몇 잔 들어가자 아빠는 갑자기 기분이 좋아져 내 칭찬을 하기 시작했다. 역시 내 딸이야, 해 준 것도 없는데 못 하는 게 없어 블라블라블라.

아니야, 아빠. 키워주신 게 어디야. 라고 말을 하면서도, '키워주신 것도 해주신 것의 영역에 들어가지만, 사실 동생에 비하면 거의 뭘 안 해주시긴 했지.' 라는 생각이 끊임없이 머리를 내밀었다.

아니야, 그런 괘씸한 생각하지 말자. 세상 어딘가에는 부모한테 버려진 아이도 있고, 맞고 큰 아이도 있잖아. 나도 뭐 한 번도 안 맞고 큰 건 아니지만, 큰 트라우마 없이 이 나이까지 길러주신 것도 은혜라면 은혜야. 감사하게 생각하자.

그런 온갖 생각들을 유교정신으로 누르며, 밥이 어디로 들어가는지도 모르는 식사를 하고 있었다.

아버지는 기분이 좋을 때면 말을 많이 하시는데, 쓸데없는 말, 하지 않아도 될 말까지 다 하는 버릇이 있었다. 그리고 그날 아버지는 눈치도 없이 기분이 좋았다. 아빠의 수다 방향은 동생을 향했고, 갑자기 동생 흠을 잡기 시작했다.

그 녀석은 왜 그 나이 먹도록 자기 앞가림도 못 하는지 모르겠다. 얼마 전에도 무슨 사고를 쳤는지 도와달라고 전화가 하도 와서, 결국 500만원인가 보냈다. 그전에도 1000만원인가 빌려 달래서 보냈는데 안 갚았는데. 그 녀석 언제 사람 구실 하려는지, 쯔쯔쯔.

갑자기, 기분이 미친 듯이 소용돌이쳤다. 동생한테는 이미 3000만 원짜리 차도 사주셨고, 1500만원이나 되는 돈을 무슨 일인지, 뭔 사고를 쳤는지도 모르면서 수습하라고 보냈으면서, 나한테는 전세대출에 보탤 수 있게 한 달 전부터 부탁드린 그 300만원을 안 보낸 거였구나, 아빠는.

입으로는 나를 아끼고 사랑한다고 하시지만 아닌 것 같았다. 아빠의 물질적 지원은 언제나 동생에게만 흐르고 있었다. 나는 그렇게 생각한다. 사람의 혀는 거짓말해도, 돈의 흐름은 거짓말하지 않는다. 그리고 아빠의 물질적 지원, 돈의 흐름은 항상 아들인 남동생을 향해 흐르고 있었다.

거기에까지 생각이 미치자, 나는 눈물을 터뜨리고 말았다. 사방이 확 트인 족발집 테이블에서, 내가 갑자기 펑펑 울기 시작하자 아빠는 왜 그러냐고 물었다.

"아빠, 나한테도, 칭찬해주지 말고 돈 줘. T(남동생)한테 맨날 뭐라 하고 흠잡으면서도, 지원은 왜 맨날 걔한테만 해줘? 나한테도 칭찬 해주지 말고, T한테 하듯이 나 없는 데서 나 욕하고, 내가 도와달라고 하면 제발 돈 좀 줘요. 왜, 나한테는 아무것도 안 해주면서, 걔한테는 그렇게 다 해주는 건데? 나도 힘든데 엄마아빠 걱정 안 시키려고, 돈 필요할 정도로 힘들면 친구한테 빌리고, 그것도 여의치 않으면 은행에서 대출받고, 그거 갚아나가면서도 한 번도 힘든 티 안 내고, 안 괜찮아도 괜찮다고, 좋은 딸 노릇 하겠다고, 돈이 없으면 빌려서라도, 명절마다 생일마다 꼬박꼬박 용돈 보내드리면서 살았어. 한 번도 안 빠지고."

나는 펑펑 울면서, 계속 말을 이어 나갔다.

그렇게 살면서 처음으로 부탁했는데 그걸 그렇게 무시했으면서, 어떻게 걔한테는 1000만원, 500만원씩 보내줬다는 얘기를 웃으면서 얘기할 수 있어요? 아빠, 그거 지금 나 엿 먹으라고 말해주시는 거예요? 걔한테 돈 필요할 때, 나는 뭐 돈이 남아돌아서 힘든 소리 안 한 거 같아요? 사회초년생은 다 힘들어요. 난 뭐 엄청 좋은 데서 돈 걱정 하나 없이 편하게 살고 있었을 것 같아요?

쌓여왔던 불만은 계속 터져 나왔다.

현실에서 남자랑 여자, 월급 차이 얼마나 나는지 모르시냐고. 나, 대기업 다니는 거 아니라고, 그냥 작은 회사 다닌다고. 많지도 않은 월급 받으면서도 그동안 아무리 쪼들려도 한 번도 안 빠지고 챙겨드렸다고, 돈 없으면 은행 대출 받아서라도 아빠 엄마 생일, 어버이날, 명절 다 챙겨드렸었는데 그 새끼 나만큼 챙겼냐고. 주변 사람들한테 엄마아빠 면 세워드리려고, 용돈 챙겨드리고, 틈틈이 연락드리고 하면서, 제대로 된 자식 노릇 한 건 나였다고.

진짜 내가 더럽고 치사해서 얘기 안 하려고 했는데 아빠가 준대 놓고 안 준, 그 300만원 때문에 내가 얼마나 피 말렸는지 아시냐고. 내가 안 되면 안 된다고 말해달라고 몇 번을 그렇게 말했는데 그걸 결국 말 안 하고, 그 동안 내내 연락 피하고, 그래서 결국 입주 하루 전날 전세대출보다 이율이 5배는 비싼 일반대출로 돈 빌리면서 내가 얼마나 속상했는지 아시냐고. 전세대출로 나가는 이자랑, 그 300만원 일반대출로 빌린 이자랑 거의 비슷해서 더블로 이자 내고 나면 월세 사는 거랑 별 차이도 안 나서 짜증이 나 죽을 지경인데 지금 나한테, 나 칭찬하는 거 맞냐고. 이게 내가 알아서 해결한 방식인데, 말이나 하지 말지. 왜 그 얘기 꺼내시냐고. 앞으로도 계속 아무것도 안 해주고 남동생한테만 계속 해주겠다 이 소리 아니냐고. 나도 칭찬 말고 돈 받고 싶다고.

하고 싶은 말을, 거의 피 토하듯 다 해갈 때쯤 나는 다시 한 번 거의 악을 쓰듯 말했다. **아빠, 차라리 나한테도 욕을 해! 나한테도 욕하고 나한테도 돈 줘! 칭찬으로는 아무것도 해결 못 하는데, 왜 맨날 난 칭찬만 줘? 돈은 안 주고? 칭찬은 아무것도 해결 못 해. 걔한테 하듯이 제발 나도 돈 좀 줘, 제발!**

랩퍼마냥 속사포로, 쓰고 보니 꽤나 긴, 저 이야기를 울면서도 다 쏟아냈다. 도중에 멈추면 하려던 말을 까먹을까 봐, 숨도 참아가며. 기분 좋게 술 드시며 세상 편하게 하고 싶은 말을 하고 있던 아빠는 갑작스런 나의 말에 잠시 멍해보였고, 평소 내가 아빠에게 화를 내면 말리던 엄마도 올 게 왔구나 싶으셨는지 놀라지도, 말리지도 않으셨다.

*

서울로 돌아온 지 이틀 뒤, 아빠는 300만원을 보냈다. 네가 그렇게 생각하는 줄 몰랐다, 는 메시지와 함께.

됐어요, 안 받아요. 멋지고 쿨하게 그러면 얼마나 좋을까. 나는 그러지 않았다. 300만원은 내 월급보다 많은 돈이었고, 그 정도 돈을 모으는 일은 생각보다 쉽지 않은 일이었다. 잘 쓸게요, 감사합니다. 라고 카톡을 보냈다. 감사한 일이겠지만 서운함이 너무 커서인지 진짜로 감사한 마음이 들었는지는 모르겠다.

얼마 후 친구와 술을 먹다가 내가 술주정 랩을 해서 부족했던 300만원을 아빠한테서 받은 얘기를 하자, 친구가 입을 틀어막으며 말했다.

"너, 주말 드라마에 나오는 드럽게 철없는 맏딸 같아."

내가 한 말이 입 틀어막을 정도냐고 묻자, 친구가 고개를 끄덕였다.

*

나는 내가 되게 효녀라고 생각했다. 그냥 효녀도 아니고 '되게 효녀'라고 생각했다. 케익으로 비유하자면 그냥 치즈 케이크가 아니라 꾸덕한 치즈케이크. 나는 꾸덕하고 진한 효녀라고 생각했다.

자주 찾아뵙지는 못해도, 명절마다, 생신마다 용돈을 보내드리며 이렇게 부모님을 챙기는 내가 기특하고 뿌듯했다. 나중에 여유 있으면 더 더 잘해드려야지.

뼛속 깊이 부모님을 사랑한다고 생각했는데, 동생에게 '만' 1500만원 지원해주신 걸 알게 된 순간, 내 안의 효녀는 흑화도 모자라 그냥 돌아버렸다.

나도 그러고 싶진 않았다. 내가 그 사람 많은 데서 그럴 줄 상상도 못 했다. 하지만 내가 그렇게 울먹불며 서운했던 속마음 갈피 갈피를 다 말하지 않았다면 과연 아빠가 나에게 300만원을 보내줬을까.

아빠에게 그 돈이 없는 것은 아니었을 것이다. 어떻게든 버티면 얘는 알아서 해결하겠지, 아직 사회생활 적응 못하는 T에게 종종 나갈 돈이 있으니 조금이라도 더 아껴둬야지, 그래야 장가갈 때 뭐라도 더 해주지, 하는 마음이었을 것이다.

 속마음은 300만원도 안 주려고 하셨으면서, 처음에 나에게 "한 500만원 해줄까?"하고 목소리를 높였던 건 회사 동료들 들으라고 허세를 부리신 것일까.

 잘 모르겠다.

부메랑

300만원 사건 이후, 내가 느낀 감정은 슬픔이나 분노가 아니었다. 나는 되게 쪽팔렸다. 누구에게 쪽팔리는 것인지 모르겠지만, 나는 너무너무 쪽팔렸다. 배신감도 아주 조금 들었던 것 같긴 한데, 내가 느끼는 엄청난 무게의 창피함, 그 쪽팔림에 비하면, 배신감은 크게 느껴지지 않았다.

아빠가 300만원도 안 보낼 거였으면서 나에게 500만원 운운 했던 건, 아마도 주변 사람들에게 딸바보처럼 보이기 위한 연기였을 것이다(몰라, 그냥 내 의심이다).

하지만 아빠를 그렇게 만든 건 결국 나였을지 모르겠다.

사실 내가, 나도 모르게, 아빠를 딸바보로 연기하게 만든 장본인이었다.

*

 아무리 무뚝뚝한 상대라도, 적대적인 사이가 아닌 이상, 반복적으로 애정을 보이며 사랑한다고 말하면 반사적으로 거울 효과를 일으킨다는 이야기를 어디선가 들었던 기억이 났다. 나는 이거다 싶었다.

 아버지는 경상도, 어머니는 전라도 분으로 1950년대생 부모들이 자녀에게 흔히 그렇듯 두 분 다 무뚝뚝한 분들이다.
 어렸을 때는 부모님이 다정하지 않아도, 차갑고 서운하게 대해도 그럭저럭 넘어가졌었는데, 언제부턴가 부모님의 사랑이 '미친 듯이 고팠다.' 아니면 어릴 땐 눈치 보여서 차마 요구할 수조차 없었던 '부모님의 사랑'이, 다 커서 이제 좀 동등한 사회인의 위치가 된 20대 후반이 되어서야 요구할 자신이 생겼던 것인지도 모른다.

 "애정표현의 거울효과"라는 것을 알게 된 나는 그때부터 통화할 때마다 엄마, 아빠에게 사랑한다는 말, 고맙다는 말을 밥 먹듯이 하기 시작했다. 처음엔 너무 오글거리고 낯 뜨거운 느낌이어서 처음 몇 번 하고 나자 때려치우고 싶었다.

 하지만 나는 안 하면 안 했지, 하다가 마는 성격이 아니었다. 시작한 건 끝을 보고 싶은 오기랄까, 부모님의 성격을 다정하게 바꿔놓고 말겠다는 그런 의지를 불태우며 나는 '식사 하셨어요.' 묻듯 대여섯 번씩, 그냥 일상 얘기를 하는 대화 도중에 불쑥불쑥 부담스러울 정도로 사랑 고백을 들입다 하기 시작했다.

엄마, 사랑해. 낳아주셔서 감사해요. 아빠, 사랑해. 그냥 다 고마워요.

 나도 이런 애정표현을 말로 하는 것이 쉽지 않았지만, 왜인지 모르게 그때의 나는 부모님의 사랑을 어떻게든 확인받고 싶었다.

 매일 밥 세끼와 곱게 학교 보내주신 것 정도로는, 사랑이라고 느낄 수가 없었다. 내가 배은망덕한 것일지도 모르지만, 밥 세끼와 사회인으로 성장하기 위해 교육이 진행되었던 시간 동안 엄마와 아빠의 행동에 사랑이 있었다는 느낌은, 솔직히 없었다.

 학대가 있었던 것은 아니었지만(물론 훈육이라는 이름으로 몇 번 맞긴 했다), '낳아야 해서 낳았고, 그래서 키운다.' 라는 무미건조하고 의무적인 느낌.

 사회적 분위기와 목소리가 요구하는 정상가족이라는 미션을 완성하기 위해 초등학교, 중학교, 고등학교, 대학교를 무미건조하게 보낸 것일 뿐 그 안에 사랑이 있었다는 느낌은, 최소한 나에게는 없었다.

 당시엔 이해하지 못했지만, 아마 그래서였을 것이다. 1인분 몫을 하는 사회인이 되어 버려질 두려움 없이, 사랑을 요구하고 부모님의 사랑을 확인하고 싶었던 이유.

  아빠는 이런 내 모습에 낯설어 하며, 돈 필요하냐고 의심했다. 하지만 계속해서 내가 요구하는 것 없이 하는 애정표현에 아빠의 마음도 말랑말랑해져서 내가 하는 것처럼 곧잘 사랑한다거나 고맙다는 표현들을 해주시게 되었다.

내가 아빠에게 통화하는 것을 본 회사 사람들이나 지인들은 남자친구랑 통화하는 줄 알았다고 한다. 내가 너무 사랑스럽게 통화해서. 나는 그렇게 필사적인 노력을 통해 얻어낸 상냥해진 아빠와의 통화가 죽도록 행복했다.

아빠 역시 이렇게 잘 하는 딸을 주변에서 본 적 없다고 다들 아빠를 부러워한다고 한다면서, 자라는 동안 해준 것도 없는데 이렇게 아빠를 생각해주고 다정하게 대해줘서 새삼 고맙다고 하셨다.

그렇게 지낸 시간이 꽤 되어서, 그동안 표현하기 부끄러워 못 했을 뿐, 아빠도 나를 사랑하고 있었는데, 전통적인 아버지상과 건조한 남자의 언어들에 갇혀서 차마 적극적으로 표현할 방법을 못 찾고 있었던 것뿐이고, 그걸 내가 부서뜨려 준 것이고, 아빠는 나를 사랑하고, 나는 내가 아빠의 사랑을 받는 딸이라고 굳게 믿고 있었다.

아빠의 변한 모습에 굉장히 뿌듯했는데 아빠는 변한 게 아니라 변한 척 한 것일 뿐이었다. 생각해보면 결국 내가 아빠에게 한 행동은 결국 아빠에게 나를 사랑한다고 세뇌시키려했던 행동일지도 모르겠다.

전세자금 300만원을 빌려주지 않으려 안간힘을 썼던 아빠의 행동은 그런 내 노력이 실패였다는 걸 깨닫게 해준 사건일 뿐이었다. 300만원, 사실 없어도 살고 있어도 사는 정도의 돈이었다. 목숨이 왔다 갔다 하는 크기의 돈이 아니다.
그냥 돈 없다고 하셨으면, 안 빌려줘도 원망 안 할 텐데, 그걸 빌려주겠다고 해놓고 안 빌려주느라 연락을 피한 그 모습이 너무,

너무 쪽팔렸다. 도대체 왜 그러신 건데요.

 그리고 동생은 또 뭐라고 했길래, 정확히 무슨 일인지도 모르는 일을 해결하라며 두 번에 걸쳐 1500만원이나 빌려주신 걸까.

 동생은 나처럼 부모님께 살갑게 군 적이 한 번도 없었다. 사랑한다거나 감사하다거나 하는 말만 안 하는 정도가 아니라 돈 필요한 일 아니면 부모님께 연락 한 번 먼저 하는 법이 없었다. 그런데도 내가 알게 모르게 부모님의 모든 지원을 받는 건 동생이었다.

 부모님은 아주 묵묵히 그 녀석을 지원하고 있었다. 무뚝뚝하던 아빠가 내 전화에 다정해졌던 것은, 그저 내 장단을 맞춰준 것이었다. 내가 혼자 꽹과리 치고, 장구 치고, 상모 돌리니까, 가만있기 뭐해서 그냥 흥이 난 척 한 거였다. 코미디 프로그램에 당첨되어 가서 방청석에 앉아있는데 주변 사람들이 모두 웃는데, 혼자 안 웃을 수 없어 따라 웃는 방청객의 리액션 같은 것이었다.

 또 비참했던 건(이것도 내 탓이다), 내가 주변 사람들한테, 마치 전세금을 아빠가 거의 다 해주는 것처럼 자랑을 했던 일이 있었기 때문이었다.

 그 날의 통화 후, 전세금이 해결된 줄 알고 사람들에게 아빠 덕에 전세금이 해결됐다는 식으로 말했었다. 그것도 300만원이 아니라, 부족한 걸 아빠가 다 해주는 것처럼.
 아빠와의 통화가 쎘했기 때문에, 오히려 더 그 일이 해결되었다는 것을 내 안에서 빨리 기정사실화 하고 싶었던 것인지 이사 준비 잘 되가냐는 직장 동료의 큰 의미 없는 질문에 '전세금 부족한 거 아빠가 다 해주기로 했어요.' 라는 식으로 자랑을 해버렸다. 평소에 개인적인 일을 잘 말하지 않는 성격이고, 무엇보다 나는 자랑할 만한 일이라 해도 자랑하고 전시하는 성격이 아닌데도 말이다.

그때 사람들 앞에서 나답지 않게 그런 식으로 떠벌린 건 아빠의 사랑을 받는 나, 현실적인 도움이 필요할 때 도움을 주는 아빠를 전시하고 싶은, 하지만 한 구석으로는 불안한 어떤 마음이었다.

*

이사를 하고 나자, 사람들은 이사 잘 했냐고 물어봤고 나는 그렇다고 대답했다. 누군가가 아빠가 도와주셔서 그래도 한숨 덜었겠네, 라고 하는 데 웃을 수도, 뭐라 대답할 수도 없었다.

사람들이 아빠 칭찬을 할 때마다 속이 뒤틀리고 쓰렸다. 그렇다고 사람들에게 '사실은 아빠가 돈 빌려준다고 호언장담하셨는데, 2주 전부터 잠수 타시다가 결국은 안 빌려주셔서 제가 대출 받아서 메꿨어요.' 할 수도 없었다.

결국 내가 던진 부메랑에, 내가 맞은 것이었다.

*

우리는 연극을 하고 있던 셈이었다. 모든 곳이 무대였다. 아빠는 딸바보로, 나는 딸바보 아빠의 딸로, 각자의 역할을 하는 연극을 하고 있었고, 전통적이고 과묵한 고전적 아버지에서 '딸바보'가 될 뻔 했던 아버지는 다시 예전처럼, 아들에게만 돈을 쓰는 최저가부장제의 아버지 원래의 모습을 되찾았다.

연극은 끝났다.

한 때 모든 곳이 무대였지만, 그 무대는 신기루처럼 흔적도 없이 사라졌다.

삼백이

 아무리 무뚝뚝한 상대라도, 적대적인 사이가 아닌 이상, 반복적으로 애정을 보이며 사랑한다고 말하면 반사적으로 거울 효과를 일으킨다는 이야기를 어디선가 들었다고 했지만, 사실 그 이야기를 해준 것은 전 남자친구 삼백이였다.

*

 내가 그를 만난 건 남자를 만나기에 썩 좋은 시기는 아니었다. 정정해야겠다. 그 시기의 나는 내 인생에서 남자를 제일 많이 만났다. 데이트앱의 도움을 받기도 하고, sns를 통한 동네친구 번개 모임, 지인의 지인의 소개 등 만나려고 마음만 먹으면, 아니 마음먹지 않아도 남자를 만날 루트는 차고 넘쳤다.

 아, 물론 거기서 만난 남자들이 썩 괜찮았다는 건 아니지만, 거기

44

서 만난 사람들 중 어느 누구와도 진지한 만남을 염두에 두지 않았기 때문에 상관없었다. 그 남자들이 나에 대해 어떤 생각을 했는지 모르지만(궁금하지도 않지만), 나도 그 사람들 한두 번 만나고 말 생각이라서 크게 안 괜찮아도, 범죄로 이어질 행동(불법촬영이라든지 억지 성관계라든지)만 없으면 나 역시 크게 손해 볼 것 없다는 생각에 무의미하지만 재미있는, 그리고 감각적이고 쾌락적인 밤을 보내곤 했다.

 내가 부모님 집에서 독립할 수밖에 없게 만든 전남친(이자 스토커) 이후, 서울에 올라와서 처음 사귀었던 남자로부터는 헤어지면서 언어폭력에 해당하는 데이트폭력을 겪었다.

 와, 이 데이트폭력커인 남자, 근데 겉으로 보기에 진짜 멀쩡하게 생긴 사람이었고, 말도 굉장히 예쁘고 착하게 하는 사람이었다(그리고 잘생겼다). 부산여자가 듣기에, 서울말 특유의 부드러운 억양과 다정함 덕분에 더 많은 호감을 느꼈던 것일지도 모르지만.

 그렇게 착하게 생긴 사람이, 술만 마시면 주변 사람들을 함부로 대하는 동시에 욕을 굉장히 많이 사용했다. 말도 안 되는 시비를 거는 경우도 있었다. 나는 그런 그를 수습하기도 했고, 그런 모습을 고쳐보려고도 했고, 그도 미안하다며 노력해보겠다고 했다. 하지만 결과적으로 그는 정말 1도 노력하지 않았고, 더 어이없는 건, 노력을 해보겠으니 돈을 좀 빌려달라고 했다.

 니가 나쁜 습관을 없애려고 노력을 해야 하는 부분이, 내가 왜 돈을 빌려줘야 하는 전개로 이어져야 하는지 개연성이 몹시 떨어지는 이야기지만(그의 얼굴이 개연성이었다), 연애 경험이 적어 멍청한 연애를 하던 어린 여자답게, 나는 그에게 돈을 빌려주고 말았다.

 사실 뭐랄까, 돈을 빌려준 것도 있으니 내 말에 좀 더 귀기울여줄 거라고 생각했던 것도 있었는데 개뿔.

 그는 자기가 생각한 것만큼 돈을 빌려주지 않아서 그랬는지 이상한 포인트에서 짜증을 내곤 했다(빌려달라는 금액의 반을 빌려줬다). 나도 짜증이 났다. 여유롭지 못한 형편에, 돈까지 빌려줬는데 이런 식으로 나오자 이번 연애도 텄구나 싶어서. 솔직히 그는 꽤 훈남이었기 때문에 많이 아쉬웠다. 내 취향의 외모는 아니지만, 호불호를 떠나 객관적으로 잘생긴 외모라서 웬만하면 다 참았다. 그의 난폭한 음주 습관 역시 잘 다독이고 고쳐 없애서 사람 만들어서 이번에는 진짜 아름다운 연애하고, 또 웬만하면 결혼까지 하자 생각했으니까.

 그런데 내 노력으로 고쳐질 습관이 아닌 것 같았다. 결국 두 손 두 발 다 든 내가 헤어지자고 하자 그는 그동안 딱 나에게만 휘두르지 않았던, 하지만 줄곧 타인들에게 보여줬던 폭력적인 성향을 아낌없이 보여주었다.

 온갖 후려치기, 길고 상스러운 욕설 끝에 그는 내가 사는 곳에 불을 지르겠다는 협박과 함께 잘 먹고 잘 살라고 했다. 니가 말했던 사랑이라는 게, 고작 이 정도밖에 안 되냐며.

 니 사랑은 왜 그렇게 희생정신과 노력이 없냐며. 내가 너 아니면 여자 못 만날 것 같냐며.

'왜안만나줘.'로 끝나지 않아서 다행이라고 해야 할까.

 스토커와 데이트폭력커 2콤보에 정신이 어질어질했다. 내가 남자 보는 눈이 없나, 싶은 생각이 잠시 들긴 했지만 이건 스스로에게 하는 가스라이팅이라는 생각이 들어 집어치웠다. 나는 나를 후려치기 싫다. 나만이라도 나를 평생 후려치지 않을 생각이다.

 겉으로 보기에 멀쩡한 놈들이었고, 멀쩡하게 사회에서 지 밥벌이 하는 놈들이었다. 한 놈은 심지어 꽤 잘 생긴 놈이었다.
 그들이 마빡에 '헤어지면 계속 찾아오는 놈', '헤어지면 불 지르겠다고 하고 욕하는 놈'이라고 써서 붙이고 다니지 않는 한, 내가 무슨 수로 이별시에 그들이 할 행동을 읽을 수 있을 것인가. 행동심리학자라도 어떤 사람을 본 후 바로 그 사람이 이별시에 할 행동을 알 수는 없다는 데 내 돈 10만원을 건다.

                                    *

 서론이 길었다. 저 거지 같은 스토커와 데이트폭력을 연애 엔딩 씬에서 연달아 겪고 나니, 연애를 하기가 싫어졌다. 심리학 연구에 따르면(잘은 모르지만) 남자에게 심하게 배신을 겪거나, 폭력적인 상황으로 인해 데이고 나면 크게 두 가지 경우로 나뉜다고 한다.

 남자가 아주 지긋지긋하고 무서워서 아예 연애를 멀리 하는 부류, 그리고 이유 모를 분노와 복수심, 수치심에 눈이 멀어 비정상적으로 많은 남자를 만나는 부류. 나는 후자였다.

 연애를 하기 싫다고 했지 남자를 안 만난다고는 안 했다.
 20대 후반의 상처받은 여자는, 20대라는 체력과 함께 그야말로
롤러코스터인 감정상태까지 장착해서 거의 무한대로 느껴질 만
큼 술이 잘 들어가는 상태가 된다.

 그렇게 술도 많이 마시고 남자도 많이 만나며 청춘을 즐기는 건
지 낭비하는 건지 모르게 살고 있을 때에 삼백이를 알게 되었다.

 삼백이는 그냥 지인5 정도의 사람이었는데, 어느 날 대뜸 고백
을 했다. 삼백이가 아주 못생긴 것은 아니었지만, 그를 만나기엔
나란 사람이 그에게 너무 과분한, 그런 게 좀 있었다.

 내가 그에게 그런 속마음을 털어놓자, 그는 인정하며 그래도 한
번 사귀어보지 않겠냐고 했다. 글쎄, 나는 딱히 연애를 더 하고
싶지도 않고, 특히 너와 연애를 하고 싶지도 않고… 딱히 연애라
는 게 행복하지도 않았고… 지금 글 쓰고 일하는 데 시간과 에너
지가 너무 많이 들어서 사랑을 주고받는 것도 솔직히 사치 같고,
사실 그냥 시간 될 때 구속 없이 짧게 잠깐 만나고 마는 현재의
삶이 그렇게 나쁜 거 같지 않고, 젊을 때는 그냥 이렇게 살다가
혹시나 말년에 만날 사람 없어서 혼자 늙어 죽는 것도 꽤 좋은 생
각 같아… 난 혼자일 때도 충분히 행복하거든, 하며 너랑 사귀기
싫다는 말을, 말인지 막걸리인지 모르게 길게 하고 있는데 그가
내 얘기를 끝까지 듣더니 말했다.

 너에게 아무것도 요구하지 않을 테니 그럼 그냥 자기가 주는 사

랑을 받아보기만 해보면 어떻겠냐고, 난 진짜 니가 내 운명 같아서, 모든 노력은 자기가 할 테니 일단 '우리'라는 것을 한번 시작이라도 해보면 어떻겠냐고.

그렇게까지 말하니 우선 알겠다고 연애를 시작하긴 했지만 시종일관 나는 이 연애가 재미없었다(아마 얼굴 때문이었을 것이다). 데이트랍시고 만나도 하나도 즐겁지가 않아 웃는 일도 없었다(얼굴 때문이었다).

예의상으로라도 안 웃어졌다. 괜히 사귀겠다고 한 건가. 너무 안웃어서 무섭다는 그의 말에 '그러게, 내가 연애 하기 싫다고 했던거 같은데. 지금이라도 헤어지자고 하면 받아들일게. 그리고 웃으라고 할 거면 그냥 집으로 갈게.' 라고 잘라 말했다. 그는 자신이 웃게 해주겠다며 이런 저런 웃긴 말이나 행동들을 하곤 했다. 그의 노력이 가상하지만 부담스럽기도 해서 왜 이렇게까지 하느냐고 하자 그가 했던 말이 애정표현의 거울 효과였다.

반복적으로 애정을 보이며 사랑한다고 말하면 언젠가 상대방도 애정을 느끼게 된다고 하는 걸 자기가 어디서 들었다고. 언젠가 너도 나를 좋아하게 될 거라고. 자신이 꼭 웃게 해줄 거라고. 행복하게 해줄 거라고.

그의 말은 반은 맞고 반은 틀렸다. 연애를 이어가긴 했지만 그가 좋아질 거라고는 생각하지 못했다. 하지만 1년쯤 되자 그가 좋아지기 시작했다. 이전 연애 속에서 겪었던 폭력들에 질려, 이후로 구속이 없지만 의미도 없는 짧은 만남들만 가지다가 **안정된 관계가 주는 편안한 연애**는 굉장한 것이라는 걸, 나는 이 연애를 통해 처음 알았다. 나는 '사랑'이나 '좋아함'이라는 것이 어떤 특별한 매력이 있어야만 가능하다고 생각했었는데.

심지어 그 당시 내가 금전적으로 쪼들린다는 것을 알자 내가 받기 싫다고 몇 번이나 거절했지만 일단 쓰라며 삼백만원을 주기도 했다(그래서 삼백이라고 한 것이다). 돈거래가 껄끄러워서 내가 차용증을 써주겠다고 했지만 됐다고 하면서.

만족스럽지는 않았지만 나는 삼백이가 마지막 남자일 수도 있겠다는 생각을 종종 했다. 내가 도움을 요청한 것도 아닌데, 도움을 주겠다고 한 남자가 삼백이가 처음은 아니었지만, 그래도 이정도 배려심이면 반려자로 생각해도 되지 않을까 하는 섣부른 판단이 좀 있었다.

하지만 얼마 후, 삼백이는 자잘하게 신경 쓰이는 행동들을 하곤 했다. 금방 탄로가 나는 거짓말을 하곤 했고, 지금껏 보였던 다정함이나 배려는 간 데 없고 갑자기 짜증을 내는 날이 종종 있었다. 결정적인 건 내가 너무 촉이 쎄서 핸드폰을 보려고 하자 보지 못하게 한 일이었다.

"안 보여주면, 내가 너 의심할 텐데 그래도 상관없어?"

그는 끝내 핸드폰을 보여주지 않았다. 미안한데 자기 자존심이 걸린 문제가 좀 있어서 못 보여주겠다면서. 짐작하셨겠지만, 앞서 내가 쎄했다던, 바람핀 것 같았다던 전남친이 삼백이다. 굳이 거기서 니 자존심이 뭔데, 하고 억지로 보고 싶지는 않았다. 다만, 그 순간 아 삼백이가 내 인생 마지막 남자는 아니겠구나, 언제가 될진 모르지만 이별을 준비해야겠구나, 라는 생각이 번개처럼 스쳤다.

 야근을 할 일이 없는 회사인데 야근을 하고, 남들 다 휴가 가는 시기에 휴가도 안 가고 회사를 가야 한다고 했다. 뭐, 회사가 성장을 해서 사무실을 확장 이전해서 그렇다고는 했지만, 권태기에, 의심의 싹도 나기 시작해서 이 연애에 미련이 없어지자 어쩔수 없이 나도 맞바람을 피게 되었고, 들킨 것은 아니었으나 그냥 다 짜증이 나서 걔가 줬던 삼백만원에 삼십을 얹어 돌려주고(이자인 줄 알고 있겠지만 사실 위자료란다) 헤어지자고 했다.

 사실 삼백이가 실제 바람을 피운 것인지 아닌지는 궁금하지 않았다. 권태기에 보인 그의 나태한 행동(과 얼굴)만으로 나에게는 헤어질 이유가 충분했다.

 헤어지자고 말하기 위해 만난 자리에서 삼백이는 추궁하지도 않았는데 사실 자신이 회사를 그만둔 지 1년 쯤 되었다고 털어놓았다. 자신이 회사를 그만둔 걸 알게 되면 헤어지자고 할까 봐 숨긴 것이라고 했다. 핸드폰을 보자고 했을 때, 보여주기 싫다고 한 것도 직전에 친구와 나눈 대화 목록에 퇴사 얘기를 나눈 게 있어 그 사실을 들킬 까봐 보여줄 수가 없었다고 말이다. 그리고 회사 다니는 척하면서 취업 준비를 하느라 그동안 한 말에 앞뒤가 안 맞고 거짓말을 해야 했던 거라고.

 이미 마음이 오래 전에 식었던 터라 헤어지는 마당에 이 고백이 진실이라 해도(진실이라는 보장도 없지만) 마음을 바꿀 이유가 되지도, 크게 위로가 되지도 않았다.

*

 그와 헤어졌어도 그가 보여준 연애 초반의 노력, 자신이 다 노력하고 무조건적인 사랑을 주기만 할 테니, 그냥 넌 받아만 달라던 그의 우직한 고백과 반복적으로 애정을 보이며 사랑한다고 말하면 언젠가 상대방도 애정을 느끼게 될 거라던 그의 말이 내 마음에 오랫동안 남았다.

*

 그래, 맞아. 애정표현의 거울효과, 어디서 주워들은 게 아니라 삼백이가 말해준 거였지, 하고 떠오른 순간, 내가 왜 아빠에게 그 사람 많은 족발집에서 술주정을 하며 난리를 쳤는지 좀 더 정교하게 이해되었다.

 나도 그 당시엔 몰랐다. 그 삼백만원은 전세금 어쩌구 하는 문제가 아니었다.

 내 오랜 애정표현의 노력이 진짜로 제대로 통한 게 맞는지, 그래서 아빠가 진짜 날 사랑하는 게 맞는지 확인하고 싶어서 한 부탁이었다. 말하자면, 나조차 몰랐지만 일종의 테스트였던 것 같다. 아빠가 날 정말 사랑하는지에 대한 테스트.

 이자 어쩌구, 동생한테만 지원 어쩌구 한 것도 내 속에 없는 말은 아니었겠지만, 내가 그렇게 지랄 발작을 한 것은 정말 그 돈을 안 빌려준 것이 서러워서라기보다, 내가 확인받고 싶었던 사랑을, 결국 확인받지 못한 분노였다. 그래서 그렇게 길게 분노의 랩을 한 것이다.

 이전의 글(「부메랑」)에서 쓴 내용과 정반대로 말을 바꾸는 것 같아 민망하지만, 쪽팔림이 아니었다. 내가 격하게 화를 냈던 건 내 노력에 대한 배신감 때문이었다.

불면의 밤

 삼백이를 만나기 전, 나에게는 한동안 줄기차게 남자를 만나던 밤들의 시간이 있었다. 당시의 내 정서적 상태는 평온하고 안락한 연애 관계를 꿈꿀 수가 없던 시기였다.

 다양한 방식으로 알게 된 사람들을 사귈 의도 없이 그냥 감각적 쾌감만을 위해서 만나던 시기였는데 쾌락의 시간이 끝나고 각자 늘어져 있으면 그들은 종종 자신의 어린 시절 이야기나 부모님과의 갈등, 서운함 등에 대해 말하곤 했다.

 당연하게도, 나는 그들의 이야기에 관심이 없었다. 어린 시절 결핍된 자아상에 대한 이야기는 누구에게나 있고, 당장 내 마음이 아주 너덜너덜한 상태였다.

무엇보다, 생긴 것과는 다르게 나는 그렇게 다정하지 않다(겉으로 보기에 좀 다정할 것 같이 생겼다). 컨디션이 좋으면 다정할 때도 있지만, 기본적으로 나는 캐쥬얼하게 정중하다.

 나는 연이은 연애에서 폭력적인 상황들을 겪으며 이성에 대한 애정이 많이 사라졌고, 그들과의 교류에서 다정함이나 공감능력을 베풀 생각이 들지 않았다.

 무엇보다 다정함이란, 좋은 에너지를 끌어올려야 만들어지는 인간적인 노력의 결과물이기 때문에, 굳이 친해지고 싶지 않는 그들에게까지 다정함을 사용하기 위해 노력하기에는 내 에너지가 너무 아까웠다.

 그러니 잠시 즐겼던 상대에게까지 다정함이라는 고급 에너지를 쓸 이유가 있나 싶은 게, 솔직한 내 심정이었다.

 무엇보다 나는 그들의 넋두리를 듣고 싶어 만난 것이 아니기 때문에, 그들이 가족 관련 하소연을 하기 시작하면 '아,진짜?'와 '그랬구나.' 같은 추임새를 하며, 사실은 전혀 듣지 않으면서 머릿속으로 아침밥은 뭘 먹을지 고민하곤 했다.

 그렇게 특별할 것 없던 하소연의 밤, 누군가가(특징이라도 있으면 가명 하나 붙여줄까 했는데, 이름이고 특징이고 전혀 기억이 안 난다) 나에게, 너는 부모님에게 서운한 거 없냐고 물었다. 어렸을 때 상처받은 기억 같은 거 없냐고. 서로 대나무 숲처럼 털어버리자, 뭐 그런 말을 했던 것 같다.

그가 배려한 것인지 친밀감을 높이려고 한 것인지 모르겠지만, 스토킹과 데이트폭력 2콤보를 벗어난 지 얼마 되지 않아 마음이 꼬일 대로 꼬인 나는 그의 질문이 탐탁지 않았다.

 나는 굉장히 시니컬하게 "집집마다 고만고만한 아픔 없고 사연 없이 크는 어린이가 어디 있냐. 다 부모님한테 좀 얻어터지기도 하고 부모형제 간에 서러운 시간들도 있고 그런 거지"라며 그의 제안을 거절했다(그래서 지금 장녀의 설움에 대해서 책까지 쓰고 있다).

 비슷한 이야기들이 많았지만 각자 사연들은 한 보따리였다. 차남이라 형에게 밀려 지원을 받지 못하고 컸다는 이야기, 엄마가 재혼한 후 새아버지라는 사람 쪽의 아이들만 엄마가 챙긴다는 이야기, 장남인 형에게는 아들 노릇, 차남인 자신에게는 딸처럼 살갑기를 요구한다는 이야기(흘려들었는데 맥락들이 얼추 기억이 난다).

 나는 그들의 이야기가 적절한 타이밍에 끝나지 않고 길어진다 싶으면 우선 "아, 씨."를 내뱉은 뒤(데이트폭력커의 습관인데 물들고 말았다), 제발, 심리상담은 정신의학과 가서 돈 내고 해야지 왜 여기서 그런 얘기 하냐고, 너 나랑 무슨 사이인 줄 아냐고 짜증을 내곤 했다. 우리 이러려고 만난 거 아니지 않냐고.

 정말이지 정서적 교류는 요만큼도 하고 싶지가 않았다. 자신도 모르게 그런 시도를 보이는 남자가 있으면 짜증이 치솟았는데, 어쩌면 그 짜증은, 이전 연애들에서 느꼈던 공포 때문에, '친밀한 관계=연애(로 이어질 수 있음)=위험!!' 이라는 공식이 내 안에 생성된 것일지도. 그들이 서럽다고 털어놓은 고통은 내가 느끼기에 경상도 장남의 장녀로 태어나 겪은 것에 비하면 뭐랄까, 애교 같은 수준이었다.

예를 들자면 내가 열 살 때, 작은 할아버지의 막내아들(이하 종종 작할 막내아들로 쓰겠다)로 20대 초반 정도였던 놈이 있는데 그가 나한테 한 부탁 중에는 혹시 네 생식기 좀 보여줄 수 있냐, 네 생식기 한번만 핥아 봐도 되냐, 고 한 일이 있었다. (물론 들어주지 않았다. 거기다 그의 두 번째 부탁인 '부모님에게 말하지 마.'를 어기고)부모님께 일렀을 때, 경상도 장남인 내 아버지가 한 대처가 얼마나 미흡하고 비정상적이고, 가해자 옹호적이고, 그 와중에 또 나에게 별도의 특별 가스라이팅까지 있었는지, 부모님으로부터 받은 장녀의 설움에 대해 말하자면 말할 게 진짜 한~보따리지만 굳이 이 글에서 쓰진 않을 거고, 그들 중 누구에게도 이런 내 얘기를 한 적은 없었다.

다만, 그 어렸던 내가 그런 일을 겪고도 정신병 걸리지 않은 게 대단할 정도라는 생각은 이제 와 생각하니 조금씩 드는데, 생각해보면 내가 나에게조차 다정하지 않은 덕분에 그 일을 크게 여기지 않았고 그 기억에 몰두하지 않으면서 성장할 수 있었던 것 같다.

예를 들자면 '어떻게 나에게 이런 일이 있을 수가 있지?', '어떻게 아빠가! 나에게 이럴 수가 있지?' 대신, '그래, 살다 보면 나한테도 이런 일이 재수 없게 있을 수 있지, 내가 뭐라고.' 이런 마음이었다.

그렇다고 모든 게 완벽하게 납득이 되고 용서가 되는 것은 아니어서, 가끔씩 피가 끓어오르면 다 무시하고 집을 나가고 싶다는 생각이 들 때도 있었지만, 그때마다 다시 그 어린 나이답지 않게 상황과 내 이해관계를 고려해서, 결국은 집을 나가지 않았다.

'어차피 이 사람들(그 당시에 너무 정이 떨어져서 부모님을, 이 사람들이라고 생각했던 것을 똑똑히 기억한다)의 그늘을 벗어나면 그때부터 또 새롭게 위험하고 거지같은 상황밖에 없을 테니 그냥 참자.' 이런 생각.

내가 나에게 다정했다면, 나를 이렇게 함부로 하는 부모님을 원망하고, 나 이렇게 상처 받았어, 하면서 울고불고 해야겠지만, 그냥… 이 사람들, 이라고 생각하면 또 그럭저럭 버틸 만 했던 것 같다. 어린 시절, 그렇게 밤마다 가끔은 너무 힘들어 '이 사람들'이라고 생각하다가, 그래서 집을 나가고 싶다고 생각하다가, 안 돼, 집밖은 더 위험해 하며 마음을 다 잡고, 어쩌다 '이 사람들'이 다정한 틈을 보이면 다시 '부모님'이라고 생각하며 적절한 부모 역할을 해줄까 기대하며 갈팡질팡 하면서 불면의 밤을 보내곤 했다.

T에게 쓰는편지

 부모님의 사랑과 물질적 지원을 독차지하는 존재, 너. 나의 남동생이자 부모님의 장남.

 공부도 못 하고, 이기적이고, 무례하고, 뜻대로 되지 않으면 지랄발광을 해서 원하는 것을 얻어내는 너.

 우리 집안의 장남이자 나에게는 남동생인 너.

 나는 네가 누리는 것의 반의반도 누리지 못했고, 앞으로도 그럴 수 없겠지.

 똑같지는 않더라도 부모님이 너에게 베푸는 것과 비슷한 것을 나에게도 베푸실 거라고, 네가 뭔가를 받는다면 나 역시 비슷한 정도의 것을 받을 수 있을 거라고 생각했던 적이 있었어. 장남인 너보다 많이 받을 거라는 생각은 해본 적 없지만 적게 받더라도 비슷하게, 아무리 못해도 그의 절반 정도는 받을 줄 알았지.

아빠가 딸바보인 줄 착각하며 살던 짧은 시간, 그러니까 내가 아빠의 사랑을 독차지하고 있는 줄 잠시 착각하며 살고 있었을 때 얘기지. 아주 먼 옛날 같다. 전세대출금 사건 이후로 나는 그 착각을 깨끗이 정리했어.

니가 이 일을 알고 있는지 모르겠지만 랩퍼처럼 속에 있는 말을 다 하고 난 뒤 아빠가 보내준 돈을 보며, 내가 지랄을 안 해서 지원을 못 받는 것일 수도 있겠다는 생각이 들더라.

너는 항상 지랄을 잘 했어. 내가 보기에, 너는 진짜 지랄의 천재야. 너도, 지랄하는 게 힘든데 안간힘을 써서 지랄하는 것일 수도 있지만 내가 보기엔 너는 참 편하고 자연스럽게 잘 지랄하거든. 그날, 나는 지랄을 하긴 했지만 엄마랑 아빠 마음 다쳤을까 봐 걱정 되서 잠이 안 오더라. 너도 지랄하고 나면 그래? 속이 막 시끄럽고 그런 적 있니? 그런데도 한 달이 멀다하고 속을 썩이고 분기별로 대지랄을 할 수 있는 거야? 아니 진짜 궁금해서.

이왕 이렇게 된 거, 나도 앞으로는 너처럼 원하는 게 있는데 안 들어주시면 그럴 때마다 지랄발광을 해서, 그런 식으로라도 지원을 받아볼까 싶기도 해. 미친년 칼춤 추는 거 한 번 보여드린다 생각하고.

너는 아주 어릴 때부터 원하는 게 있는데 뜻대로 되지 않으면 아주 생떼를 썼고, 결국 네 뜻을 이루었지. 그리고 생떼는 니가 커가면서 지랄로 진화한 것 같아.

네가 인지하고 있는지 모르겠는데(이 글을 쓰는 와중에 니가 '인지'라는 단어의 뜻을 모를까 걱정이 된다, 니가 아는 게 워낙 없고 무식해서…), 나는 아주 어릴 때부터 원하는 게 있어도, 그걸 자신 있게 원한다고 말하지 못했어. 가끔 말할 때도 있었지만 대단하지 않은 것, 별 노력이 들지 않는 것, 별로 비싸지 않은 것만을 원했어.

장남인 넌 못 들었을지 모르지만, 나는 종종 말 안 들으면 어디저기, 영도다리 밑에 몰래 버리겠다는 말을 들어야 했거든. 무의식적으로, 계속, 꾸준히, 어쩌다 한번 너처럼 고집을 부릴 땐, 하루 종일. 어떤 날엔 변형시켜서 말 안 들으면 나만 두고 몰래 이사 갈 거라고 말하기도 했지. 그런 말을 5-6살, 그 어린 나이 때부터 계속 들었어.

부모님의 말을 안 듣는 경우는 니가 훨씬 더 많았지만, 너는 부모님이 널 버릴 거라는 걸 상상조차 하지 못 했을 거야. 너를 대하는 태도를 통해 부모님이 '이 집 장남'인 널 절대 버리지 않을 거라는 걸 느꼈을 테니까.

나에게만 하는, 작은 협박. 말 안 들으면 너를 버리겠다, 너만 두고 떠날 수도 있다. 진심은 아니셨겠지만 부모님은 나를 쉽게 다루기 위해 어릴 때부터 그 말을 무기처럼 사용했던 거야.

*

　그게 우리 시작점의 차이였어. 너는 버림받거나 그들의 사랑이 거두어질 거라는 '두려움 없이' 원하는 걸 원한다고 말할 수 있었지만 나는 항상 부모님의 사랑이 거두어질까 봐 두려웠거든. 그게 내가 자신있게 지랄할 수 없는 이유였을 거야. 반대로 니가 자신있게 지랄할 수 있는 이유겠지.

　어렸을 때는 눈 밖에 나면 엄마, 아빠의 사랑이 거두어질까 봐 두려웠어. 하지만 그래도 분명 나에 대한 사랑이 있음을 증명하고 싶었지.

　사실은 어려서부터 이미 알고 있었던 것 같아. 엄마, 아빠가 나를 그다지 아끼지 않는다는 걸. 어떤 걸 '증명하고 싶다'는 것 자체가 '그 어떤 것'이 의심스러웠던 사실이었음을 전제하고 있기도 하니까.

　너한테 500만원씩, 1000만원씩 보냈다는 이야기를 들을 때 깨달았어(아마도 카드값 뒷수습용이겠지). 아빠는, 엄마는, 너를 사랑하시는구나. 너만 사랑하시는구나. 나도 조금은 사랑하시는 줄 알았는데 그들의 세계는 완벽히 너를 중심으로 돌아가는구나.

　나는 죽도록 노력해도 눈곱만큼 사랑받을 뿐인데, 네가 아무 노력하지 않아도 그들은 너를 죽도록 사랑하시는구나.
　블랙홀처럼 그들의 사랑과 노력을 다 흡수해서 너의 세계를 살찌우겠구나. 과거에도, 현재도, 앞으로도.

밥과 이름

장녀라면 누구나 남동생의 식사를 챙기라는 엄마의 주문을 들어왔을 것이다. 예를 들자면 이런 식이다.

"너는 집에 있으면서 동생 밥도 하나 못 챙기니?"

딸인 나만 손발이 있고, 아들인 동생은 손발이 없는 것도 아닌데.

내가 마치 그의 밥을 차려주기 위해 태어난 것처럼, 남동생이 20대 중반이 되었을 때(그러니까 차 사달라고 지랄하던 그 무렵)도 엄마의 밥 잔소리는 계속되었다. 차 사달라고 난리쳐서 속상하긴 한데, 그래도 아들 밥은 챙겨 먹이고 싶은, 그 무서운 모성애는 밥 잔소리로 곧잘 터져 나왔다.

엄마의 밥 잔소리는, 내가 초등학교 1학년 때부터 시작되었다.

연년생이라 누나라고 해봤자 겨우 1살 많을 뿐이었는데도 엄마는, 엄마 없으면 니가 동생 좀 챙겨 먹이라고 했다.

　매번 혼났다. 냉장고를 열어 밥을 차려주려 했었지만 냉장고를 봐도, 어느 그릇에 뭐가 있는지 몰라서 챙겨 먹이지 못하는 날이 대부분이었기 때문이었다. 동생을 챙겨 먹이지 못한다고 매일 비난과 잔소리를 들었다. 겨우 초등학교 1학년이었는데.

*

　내 외할머니의 이름은 이정숙이다.

　정숙 씨는 외갓집에 놀러온 막내딸(나의 엄마)의 자녀들을 귀여워하면서도, 음식을 먹을 때면 항상 과일의 못난 부분을 나에게 먹게 했다. 고기를 먹을 땐 작거나 맛없는 부분을 나에게 먹으라고 했다. T는 남자니까 크고 모양 좋은 것 먹어야 하니 누나인 네가 좀 작고 못난 것을 먹어야 하지 않겠냐면서. 예쁘게 깎은 과일, 큼지막한 고기는 남동생만 먹을 수 있었다. 나도 예쁜 거, 큰 거 먹을 줄 아는데.

　하지만 그것들보다 더 기분이 나빴던 것은 정숙씨는 단 한 번도 나의 이름을 불러주지 않았다는 것이다.

　그녀는 항상 나를 부를 때, 내 남동생 이름으로 불렀다. 그러니까 하나의 이름으로 두 사람을 불렀던 것이다(뭐지, 멀티네임인가). 그녀가 똑같은 느낌으로 부른 것이 아니었다는 설명이 필요할까. 그녀는 내 남동생을 부를 때는 사랑을 담아 부드럽게, 나를(내 남동생 이름으로) 부를 때는 무언가를 지시하기 위한 느낌이 들게 불렀다.

 직장생활을 경험한 인간으로서 말하자면, 정숙씨는 뭔가 오피셜하고 딱딱한 느낌으로 나를 불렀다. 와서 이것 좀 해라. T(나를 지칭)야. 여기 T(남동생)가 뭐 먹다 흘렸다, 와서 좀 닦아라, T야. 심부름 좀 다녀와라, T야. 남동생의 이름으로 불렀더라도, 그걸 해야 하는 건 나였다. 장난으로라도, 할머니가 니 이름을 불렀으니 니가 가서 하라고 T에게 시키면 혼쭐이 났다.

 내 이름은 T가 아닌데, 나는 늘 그녀에게 T로 불렸다. 가끔 미국 드라마에서 직장 상사가 자기 마음에 들지 않는 부하 직원을 괴롭히려고 할 때, 혹은 외주 일감을 주는 하청업체 직원에게 기분 더러우라고, 그래서 갑의 짜릿함을 제대로 느끼려고 이름을 일부러 틀리게 부르던데. 할머니가 나를 괴롭히려고 그러셨던 걸까? 모르겠다.

 어쨌거나 그녀는 자신이 죽는 날까지, 20년 넘게 단 한 번도 나를, 내 이름으로 불러주지 않았다. 그녀는 몰랐겠지만.

*

 만날 때마다 나를 서운하게 만들었던 정숙씨. 그녀는 나쁜 사람이 아니었다. 오히려 사랑이 많은 사람이었고, 인류애적으로 자비가 있는 사람이었다.

 정숙씨가 결혼한 지 얼마 되지 않았을 때, 남편과 딸을 데리고 북한에서 남한으로 피난선을 타고 올 때 일이었다. 잘 살고 말겠다는 희망을 품고 떠나왔지만, 사실 춥고 배고프고 서러움이 가득한 피난길이었다.

어느 날, 옆에 있던 미군 선박에서 갑자기 캔으로 된 식량을 버리기 시작했다. 무슨 일인가 보고 있던 사람들은, 선원들의 대화를 통해 미군 배가 무게를 줄이기 위해 식량을 바다에 버리고 있다는 것을 알게 되었다. 급하게 떠난 피난길에, 가진 것 없고 배고픈 사람들이 대다수였지만 바다 한가운데서 그걸 줍겠다고 뛰어들 사람은 없었다. 먹을 것 좀 줍겠다고 뛰어들었다가 시커먼 바다에 빠져 죽을 수도 있었으니까.

정숙씨는 용기가 남다른 사람이었다. 아주 걸크러쉬한 인간이었다. 그 캔들이 주인 없는 식량이라는 것을 알게 되자, 그 배에서 유일하게 바다로 뛰어들어 버려진 그 캔 식량을 향해 헤엄쳐 갔다. 그리고 그것들을 치마폭에 감싸 안아 한 보따리 건져서 배로 돌아왔다. 그녀가 자신의 가족들만 먹였다면 더 오래, 더 풍족하게 먹을 수도 있었겠지만 그녀는 그렇게 하지 않았다.

그녀는 장사꾼이라 돈 안 되는 일, 이윤이 안 남는 일을 하는 것을 몹시 싫어했음에도, 함께 배를 타고 있던 피난민들에게 자신이 건져온 음식을 기꺼이 나눠주었다. 북쪽에 가족과 고향을 두고, 잘 살아보겠다고 이 고생을 해 가며 남으로 가는 것이니 우리 같이 먹고 힘을 내자며.

하지만 여자아이가 남자아이보다 좋은 것을 먹게 해 주지는 않았다. 여자아이가 먹는 것은, 남자아이가 먹는 것보다 못한 것이어야 했다. 여자아이는 남자아이의 뒤치다꺼리를 하는 존재여야 했다. 그녀의 세계에서, 여자아이는 이름 없이 존재해야 했다. 그녀가 T의 이름으로 나를 부를 때마다 느껴지는 감정은 기분이 나쁘다는 것보다 복잡한 감정이었다.

그 복잡한 기분의 가장 큰 덩어리는 서러움이었다.

*

누나가 되어가지고 동생 밥도 못 차리는 머저리라고 비난을 듣는 게 별로일까. 아니면 남동생 예쁜 거 먹어야 하니 너는 예쁘지 않은 음식들을 먹으라는 말을 들으며 남동생 이름으로 불리는 것이 별로일까.

스무 살 겨울, 외할머니가 돌아가셨다는 걸 전화로 듣자마자 남동생은 짐승처럼 서럽게 울었다. 나는 울지 않았다. 슬프지도 않았다. 나는 그녀가 이 세상을 떠난 것은 그저 삶의 순리 같을 뿐, 전혀 슬프지가 않았다.

훌륭하고 인류애 넘치지만, 동생과 나의 먹을 것을 평생 차별한 여자. 무엇보다 20년 동안 나의 이름을 항상 동생의 이름으로 불렀던 여자. 나는 그녀가 죽은 게 슬프지가 않았다. 그녀는 분명 좋은 사람이었는데도.

너무 빡쳐서 그래

 tvN 드라마 〈작은 아씨들〉에는 세 자매의 엄마 희연(박지영)이 인혜의 생일이라고 집에 들러 열무김치를 담가주는 장면이 나온다.

 그리고 나서 같이 밥을 먹다가 인주와 인경이 인혜를 위해 모은 수학여행비 250만원이 있는 것을 알게 된 희연이 한밤중에 그 돈을 들고 해외로 튀는 이야기가 나온다. 인혜 너는 어리니까 앞으로도 기회가 많을 테지만 엄마는 해외여행 한 번도 못 가봤다는 편지를 남긴 채 그 돈을 들고 사라진다. 그것도 그녀의 생일날. 장녀인 인주는 그 사실을 알게 되자 치를 떨며 말한다.

 인주   인경아! 김치 갖다버려!

인주가 인경에게 내다버리라고 한 건, 사실 열무김치가 아니라 이기적인 엄마 희연의 본체였을 것이다. 엄마들만 자식을 버리고 싶은 게 아니다. 딸도 엄마를 버리고 싶다. 그리고 그런 엄마 생각을 하자 인주는 갑자기 눈물이 나오고, 아무도 묻지 않았는데 이렇게 이야기한다.

인주   야, 나 이거 슬퍼서 우는 거 아니다?
　　　　(크흡)너무 빡쳐서 그런 거야.

그렇다. 세상에서 딸을 가장 빡치게 할 수 있는 존재는 바로 엄마다. 사랑, 우정, 종교, 회사 그 어떤 관계나 시스템보다 딸을 화나게 할 수 있는 전지전능한 인간. 너무 빡쳐서 눈물까지 나게 할 수 있는 인간. 그리고 그런 엄마에 대해 세상 누구에게보다 가장 강한 전투력을 보이는 인간, 장녀.

*

몇 년 전까지 나는 엄마를 거의 이해할 수 없었다.

어떻게 저렇게 이기적이지? 비상식적이지?
어떻게 이렇게 함부로 지껄일 수 있지?
사람이 왜 저러지?

나는 이해할 수 없고 이기적이고 함부로 말하는 엄마를 못마땅해 하고 괴로워하는 동시에, 엄마의 가사 노동을 통해 20년 넘게 평범하고 무탈하게 성장할 수 있었다는 사실에 죄책감을 느꼈다. 나는 엄마 덕분에 편안했고, 엄마 때문에 고통스러웠고, 그래서 죄책감을 느꼈다.

*

독립한 지 10년이 되었는데도 살림은 지긋지긋하다. 독립한 지 얼마 안 되었을 때, 비슷한 시기에 독립한 친구들이 모이면 매번 우리의 대화 주제는 '살림의 지긋지긋함'과 '아무것도 안 했는데 쌓이는 집안일'에 대한 미스터리였다. 다들 우렁새끼가 숨어서 집을 어질러 놓는 것 같다고 농담을 하곤 했다.

1인분의 살림도 이렇게 짜증이 나고 하기 싫은데 4인, 혹은 5,6인의 살림을 했던 어머니라는 존재는 도대체 어떤 사람들이란 말인가. 나의 엄마도 긴 세월 '4인분의 살림'이라는 임금 없이 해야 하는 노동을 하며, 알 수 없는 분노가 쌓였을 것이다.

왜 화가 나지? 왜 짜증이 나지? 잘 모르겠지만 화가 나고 짜증이 났을 것이다. 그래서 이기적으로 변하고 비상식적인 말을 함부로 하게 되었을 것이다. 너무 지쳐 무례해져 버렸을 것이다.

식사와 빨래, 청소. 그 외에도 보이지 않은, 혹은 보았지만 그냥 지나쳐버렸던 수만 시간의 엄마의 노동.

이제 와 생각하니, 지쳐있었을 엄마에게 나는 계속 말을 걸었다. 엄마, 이거 봐봐. 저거 봐봐. 안 보면 볼 때까지 말했다. 제발, 이거 좀 봐줘. 제발 나 좀 봐줘.
4인분의 살림이라는 노동에 지친 엄마는 항상 이렇게 대답했다.
제발, 제발! 엄마 좀 부르지 마.

어린 나는 엄마와 함께 하는 걸 좋아했고, 호기심이 왕성한 아이였다. 이건 왜 이래, 저건 왜 저래. 꽃은 왜 어떤 건 빨간 색, 어떤 건 자주색이야? 블라블라블라. 지쳐있는 자신에게 끊임없이 말을 거는 나라는 생명체가 엄마 입장에선 지긋지긋하고 빡쳤을지도 모르겠다.

*

어릴 때 왜 그렇게 말이 많았을까 생각해보니 내가 말하는 걸 예뻐해 주는 어른이 많았다. 나는 이 집안의 첫 손주였으니까. 내가 한글을 쓸 수 있게 된 것, 텔레비전의 동요를 따라서 흥얼거리는 것, 그런 자잘한 내 성장의 이벤트가 이 분들에게는 경이로운 일이었던 것이다. 그리하여 할머니 댁이라는 무대에서 주인공은 나였다. 조명이 없어도 느낄 수 있었다. 이 곳은 나의 무대라는 걸. 모두가 나만 보고 있고, 눈에서 꿀을 쏘아대는 이 사람들은 내 손짓 몸짓에 열광했다.

내가 종알종알 말하는 것을 친척 어른들이 예뻐해 주니, 집에 와서도 종알종알 떠들었을 것이다.

*

하지만 엄마는 내 종알거림을 들을 마음의 여유가 없었다. 빨래, 청소, 식사, 애들 챙기기만 해도 하루가 짧은데, 귀엽지만 쓰잘데기 없는 내 모습이 그녀의 눈에 들어올 리 없었다. 아마 그래서 엄마는 빡이 쳤을 것이다. '아니, 얘 왜 이래? 할 거 많은데 귀찮게.'

아빠는 집안일을 털끝 하나 도와주지 않았다. 정말, 진심으로, 털끝 하나도.

영화 〈82년생 김지영〉에서 아내인 지영을 사랑스러운 눈빛으로 바라보지만 영화 끝날 때까지 집안일을 한 번도 도와주지 않고, 그야말로 손 하나 까딱하지 않고 쳐다만 보는 대현은, 아빠의 모습을 영화 속으로 집어넣은 듯 했다. 공유의 부산사투리까지 부산남자인 아빠와 비슷한 나머지, 영화를 보고 나니 스트레스로 어깨가 결렸다. 안타까운 점은, 영화는 2시간 뒤에 끝나지만 현실은 40년이 가까운 지금도 끝나지 않았다는 것.

자신의 더러운 기분을 털어내고 싶었던 엄마는 결국 그 감정쓰레기통으로 나를 선택했다. 자신도 모르게.

기분 나쁜 얘기, 다른 사람 욕, 짜증나는 사람 혐오. 그녀가 싫어하는 사람 중에는 내가 좋아하는 사람도 있었다. 특히 할머니 얘기. 엄마, 제발.

지친 내가 T한테 말하라고 하면 쟤는 남자인데 어떻게 그러느냐며 지치고 힘을 뺏는 얘기를 끝도 없이 늘어놓았다.

*

언젠가 한번, 또 다시 엄마가 끝도 없이 다른 사람 험담을 하고 있는데 문득 기분이 상해서, 내가 할 수 있는 한 가장 재수 없게 말했다. 정확히는 할머니처럼 말했다. 할머니가 자주 쓰는 특이한 추임새와 말투, 엄마가 싫어하는 그 추임새와 말투를 써서 대

꾸했다. 도대체 왜 그랬는지 모르겠다.

 아니, 사실 안다. 나는 엄마가 그 말투를 끔찍이 싫어하는 걸 잘 알았다. 그래서 되갚아주고 싶었다.

 엄마도, 듣기 싫은 말을 듣는 기분 한번 제대로 느껴보라고.

 엄마는 내 말—시어머니 말투를 쓰는 딸의 말—에 눈이 돌았다. 하던 말을 멈춘 엄마는, 내가 이게 무슨 일인가 깨달을 새도 없이 정신없이 내 뺨과 얼굴을 후려갈겼다. 눈앞에 별이 보일 정도로.

 맞으면서도 엄마를 이렇게 빡치게 한 것에 대한 쾌감을 느꼈다. '엄마도 열 받지? 엄마가 나 열 받게 했으니 나도 엄마가 싫어하는 걸 할 거야.'

 나도 너무 빡쳤고, 엄마도 너무 빡쳤다. 이제야 고백한다. 엄마, 빡치는 거 알지만, 나도 너무 빡쳐서 그래.

엄마가 원하는 나

아주 높은 확률로 대부분의 딸들이 실패할 수밖에 없는 일이 있다. 엄마가 원하는 딸이 되는 것.

나는 엄마가 원하는 내 모습이 얌전하고, 성실하고, 조신한 아이라고 생각했다.

집에 있을 때는 조용한 편이었지만 할머니의 사랑을 독차지했던 탓에, 사람들이 많은 곳에 가면 좀 나대고, 그리하여 관심을 얻고 싶었다. 그럴 때마다 엄마에게 꼬집히며 혼이 났고 어느 순간부터 나는 엄마가 원하는 딸이 되기 위해 절대 나대지 않았다.

하지만 정말 엄마가 그걸 원한 게 맞을까? 지금 생각해보면 꼭 그런 것만도 아니라는 생각이 든다. 엄마가 그런 나를 원했다면,

엄마는 만족했어야 하고 행복했어야 한다. 하지만 엄마는 내가 착하고 얌전하고 성실하고 조신하게 굴어도 행복해하지 않았다.

*

영화 〈에브리씽 에브리웨어 올 앳 원스〉에서 엄마 에블린은 딸 조이에게 살이 찐 것 같다며 살 좀 빼라고 한다.

아시아 엄마의 눈에는 딸이 뚱뚱해보이는 필터라도 있는 걸까? 나의 엄마 역시 내 청소년 시절과 20대 내내 살 좀 빼라고 했었다. 30대 후반이 된 지금에서야 생각해 보니 나는 살 빼라는 지적을 들어야 할 정도로 뚱뚱했던 적이 거의 없었다. 그럼에도 거의 매일 살 빼라는 지적을 들어야 했다.

한번은 단식원에 집어넣어져서 50kg 까지 살을 뺀 적이 있었다. 엄마가 권유했고 나도 동의해서 내 발로 걸어 들어가긴 했지만, 정말 내가 원하고 동의한 것이 맞을까?

매일 매시간, 살 빼라고 잔소리를 듣던 나는 이렇게 생각했다. 단식원에 한번 들어갔다 오면, 그럼 더 이상 잔소리 안 하시겠지.

어떤 시스템에 들어가면 일단 그 안의 매커니즘을 잘 따르는 내 성격상 살이 많이 빠지긴 했지만 극단적인 방식의 다이어트로 인해 후유증도 심했다.
스트레스로 60kg을 넘었던 시기들도 있었지만 나는 내 인생의 대부분 168cm의 키에 50kg 중반대의 몸무게를 유지하고 있었다. 한창 말랐을 때는 52kg 정도 밖에 나가지 않았고 누가 봐도 마른 몸이었는데도, 엄마는 기어코 나에게 거기서 뱃살을 조금만 더 뺐으면 좋겠다고 말하곤 했다.

*

 내가 그때 살을 조금만 더 뺐으면, 혹은 살을 뺀 상태를 유지했더라면 '엄마의 완벽한 딸, 만족스러운 딸'이 되었을까? 168cm에 49kg의, 뱃살이 전혀 없는 딸이 되면 엄마를 만족시킬 수 있었을까? 아니. 엄마는 또 새로운, 마음에 안 드는 부분을 찾아냈을 것이다. 엄마는 왜 그렇게 불만이 많았을까.

 엄마는 원할 수 있는 게 없었다. 그냥 사회적으로 여자애는 그렇게 커야 한다고 하니 그렇게 키우셨던 것일 뿐이다. 그게 맞는 거라고 알고 계셨으니까.

 살림하고, 시부모 모시고, 남편 내조하고 아이 키우고. 그거 말고는 어떤 길이 있을지조차 보여주지 않았던 게 엄마가 살아낸 시절의 여자의 인생이었다.

 하지만 엄마가 진짜 원하는 엄마의 모습은 무엇이었을까. 엄마가 원하는 내 모습 말고.

조삼모사

예전에 조삼모사에 대한 일화를 패러디하여 유행한 웹툰 밈이
있다.

주인인 저공이 키우는 원숭이들에게 먹이인 도토리가 부족하여
앞으로 아침에 3개, 저녁에 4개를 주겠다고 하자 원숭이들이 마
구 화를 내고, 그러자 저공이 단호하게 말한다.

싫음 걍 굶던가.

*

그런데 이상하다. 왜냐하면 원작의 인간인 저공이라는 캐릭터는
타협도 모르고 의견 조율을 시도하지 않고 멋대로 의견을 관철시

키는, 그런 인간이 아니니까.

원래의 줄거리는 이렇다.

전국 시대 송나라에는 수십 마리의 원숭이를 키우는 저공이라는 남자가 있었다. 그는 원숭이를 매우 좋아하여 처음에는 여러 마리, 훗날에는 수십 마리를 키우게 되었는데 키우는 원숭이가 늘 어남에 따라 원숭이의 먹이가 많이 필요했다. 그는 넉넉한 형편이 아니었기 때문에 금세 식량이 바닥나기 시작했다.

결국 저공은 고민하다가 원숭이들을 불러놓고 이야기했다.

'이제부터 너희들에게 도토리를 아침에 세 개를 주고 저녁에는 네 개를 주려고 한다.'

이 말을 들은 원숭이들은 저녁까지 참기가 힘들다며 반발하기 시작했다. 그 말을 들은 저공은 '한참을 고민하다가' 할 수 없다는 표정을 하면서 말한다.

'그렇다면 아침에는 도토리를 네 개 주고 저녁에는 세 개를 주는 건 어떠냐.'

그러자 원숭이들은 고개를 끄덕이며 아침에는 도토리를 하나 더 먹을 수 있다며 기뻐했다.

고전에서는 이 이야기가 어차피 하루에 먹는 도토리의 수는 같은데, 아침에 1개 더 준다는 말에 기뻐하는 원숭이의 어리석음을 풍자하기 위한 것이라고 하는데 내가 보기엔 그렇지만은 않다.

*

 예전에 만나던 남자친구 은석과 식사에 대한 주제로 이야기를 한 적이 있었다. 나는 그 당시 아침을 적게라도 꼭 먹고 나가는 편이어서 나중에 결혼하면 내가 아침 차려준다는 이야기를 한 참이었고, 내 딴에는 아침상이 배려심 있는 행동이라(아직 행동하진 않았지만) 그가 고마워하며 칭찬을 해줄 거라 기대했다.

 그러자 그가 아침은 됐다며, 자신은 아침밥 안 먹는 대신 꿈꾸는 결혼 판타지가 따로 있다며 알려주었다.

 '아내가 앞치마를 두르고 저녁으로 먹을 찌개를 끓이다 퇴근한 자신을 맞이하는 모습.'

 아침과 달리, 나는 저녁밥을 차리는 것은 싫었다(과거형으로 썼지만 지금도 귀찮고 싫다). 퇴근하고 들어가서 냉장고에 있는 반찬을 꺼내서 밥 차려 먹는 것도 귀찮고, 반찬 꺼내기 싫어서 라면 하나 끓여먹는 것도 싫고, 먹고 난 이후에 설거지 하는 것도 싫다. 그래서 사 먹고 들어가는 날이 주 5일 중에 2번 이상이었다.

 그리고 간단하게 먹어도 되는 아침과 다르게, 저녁은 준비과정이 길고 복잡하다. 메뉴에 따라 장도 보고 재료 손질도 해야 하고, 끓이고 해야 한다. 고기를 사면 핏물을 빼야 할 것이고 야채를 사면 씻어야 하고. 밥만 해도, 맛있는 밥을 하려면 최소 씻고, 앉혀서 뜸들이고 하면 밥솥이 한다고 해도 어쨌든 1시간은 걸린다. 그렇게 먹고 난 후, 설거지도 해야 한다. 상상만 해도 피곤했다.

퇴근하고 저 모든 과정을 거쳐 저녁 대접을 받는 게 은석의 행복이라면, 저 저녁을 차리기 위한 내 노력이 나에겐 불행이었다. 내 이상형이랑 결혼할 수 있다고 해도, 그 결혼에 저녁밥 차리는 게 필수항목으로 들어가면 난 그 결혼 안 한다. 나는 그 정도로 저녁밥 차리는 게 너무 싫다.

특히 〈82년생 김지영〉을 본 이후, 공유(대현 역)가 정유미를 사랑스럽게 바라만 보면서, 그녀 혼자 멍한 눈빛으로 온 집안일을 다 하는데도, 손가락 하나 까딱 안 하고 그녀를 돕지 않는 것을 봤을 때 아빠와 너무 똑같아 소름이 끼쳤다. 영상 속으로 들어가서 멱살을 잡고 싶었다. "눈빛 넋 나간 거 안 보여? 쳐다만 보지 말고 좀 도와줘!"

나는, 바로 그 자리에서 저녁은 못한다고 못을 박았다. 저녁 문제에 관한 한, 노력할 생각도 없었다. 특히나 그가 원하는 — 그는 '바깥일'을 하고 나는 '집안일'을 맡아 식사의 준비와 기타 집안 저변의 일을 하는 — 방식으로 살 생각은 더더욱 없었다. 공유가 와서 프로포즈를 한대도 그렇게 살 생각은 없었다. 공유라도 영화 속 대현처럼 사는 남자라면 사절이었다.

아침밥 이야기도, 내가 간단하게 먹고 나가고 싶기 때문에 먹는 김에 같이 2인분을 차려줄 수는 있을 것 같아서 한 말이었는데 그가 저녁밥 운운하자 아침밥도 차려주기 싫다는 생각이 들었다.

내 입장에선 내가 차리는 게 아침밥이든, 저녁밥이든 결혼 생활 로망일 수는 없었다. 그냥 그건 결혼 생활 노동이었다.

내가 그에게 내 저녁 로망은 '퇴근 후 같이 사먹고 들어가는 것이고 그럼 누구도 저녁을 치우지 않아도 되고, 집에 가서는 씻고 TV 보면서 맥주나 한 캔 하는 거야.' 라고 말하자 그는 그 자리에서는 수긍하는 듯 했으나 이후에도 우리의 미래, 혹은 결혼에 관한 이야기가 나오면 뜬금없이

"나중에 결혼해서 저녁에 퇴근하고 집에 가면 니가 집에서 앞치마를 두르고 찌개를 끓이다 퇴근한 나를 맞이하는 모습을 상상하잖아? 와, 나 진짜 행복할 것 같아."

는 말을 하곤 했다. 내가 그걸 하겠다고 수긍하는 척이라도 했으면 모르겠는데, 내가 그걸 처음부터 강력하게 싫다고 했는데, 그걸 또 혼자 상상하며 행복해한다니 혈압이 확 올랐다.

"은석아, 나는 그게 싫어. 처음부터 분명히 말했잖아, 싫다고. 누가 뭐래도 저녁은 차리기 싫어. 난 결혼을 하든 말든, 어지간하면 저녁은 사먹을 생각이야. 퇴근해서까지 또 '일'을 하긴 싫어. 그러니까 진짜 저녁 타령, 니 결혼 판타지 타령 그거 그만 해. 나는 그거 못 해."

라고 말했다. 그는 매번 납득하는 척을 하긴 했지만 결혼 이야기가 나올 때마다 자신의 결혼 판타지인 '찌개 끓이는 아내' 이야기를 계속 해서 말했다.

나의 노동, 그리하여 나의 불행으로 행복해지고 싶어 하는 그의 로망을 계속 듣자니 정이 떨어졌다.

*

그 역시 자기 나름대로 '찌개 끓이는 아내' 역할을 맡지 않으려는 내가 계속해서 괘씸하고 불쾌했던 모양이다. 어느 날 상관없는 이야기를 하던 중, 갑자기 그가 급발진해서 소리쳤다.

"넌 저녁밥도 그렇고, 다른 일도 그렇고, 왜 해보지도 않고 싫다고 해? 날 사랑해서 하다 보면 행복해질지 어떻게 알아?"

응. 안 해봐도 알아. 배려심 없는 남자로부터 자기 판타지를 강요 받아야 하는 여자의 삶은 행복할 수가 없어. 그리고 처음부터 그렇~게까지 널 사랑하진 않았어. 내가 아침을 차리든, 저녁을 차리든 네가 노력하는 부분은 없는, 너는 누리기만 하고 나 혼자 하는 노력에, 내가 행복해질 것 같니. 말이 되는 소릴 해라.

*

조삼모사의 아침밥/저녁밥으로서의 도토리 갯수는 원숭이의 어리석음을 말하려는 게 아니다. 저공이 아침밥과 저녁밥의 양을 바꿔서 말했을 때 원숭이들이 수긍한 건 멍청해서 속은 상황이 아니라는 뜻이다.

한참을 고민하다가 머뭇거리며 살짝 바꾼 제안을 하는 저공의 노력이 안쓰러워서, 그리고 여기서 무얼 더 해 줄 수 없어서 슬퍼하는 주인의 표정을 보고 결과적으로 큰 차이는 아닌 걸 알면서도 수긍한 것일 수도 있다. 현실적으로 아침에 더 활동량이 많은 동물이라 아침에 도토리를 조금이라도 더 먹는 게 나아서였을 수도 있고.

어쨌든, 식량 부족이라는 피할 수 없는 문제 앞에서 저공은 치열하게 고민했고, 어떻게 하면 계속 그들과 '함께' 할 수 있을지 노력했다.

'동물의 권리'라는 개념 자체가 없던 시대, '원숭이들 각자의 생명'이라기보다 단지 '인간의 재산의 항목'에 가까웠을 원숭이들을, 이제 키우기 버겁다며 냅다 숲에다 버릴 수도 있었지만(그래도 아무도 처벌하지 않는데도) 저공은 그러지 않았다.

주인의 고민을 들은 원숭이들도 주인의 어려움을 함께 느끼고, 한발 물러났다고 나는 생각한다.

저공은 원숭이들의 생존권을 쥔 주인의 위치였지만, 주인의 권위를 이용해 말도 없이 어느 날 줄인 양의 식사를 주면서 이제부터 이만큼만 먹으라, 고 통보하지 않았다. 형편이 어려워져 앞으로는 이만큼만 줄 수밖에 없는데 괜찮겠는지 먼저 물어봤다.

그리고 원숭이들 역시 처음 제안을 들었을 땐 저녁까지 허기를 참기가 힘들다며 반발했지만 결과적으로 주인의 제안을 받아들였다. 왜 이전에 먹던 양만큼 안 주고, 멋대로 줄이기로 한 거냐고 주인을 나무라지 않았다.

조삼모사에서 중요한 건 '계속해서 함께 살아가려는 관계' 사이의 의견 조율, 소통을 보여준 것이다. 저공은 처음에 말한 자신의 제안이 받아들여지지 않자 제안을 조금 수정한다. 그리고 원숭이들은 다행히 두 번째 만에 제안을 받아들인다. 조율이란 이런 것이다. 상대방도 나도 의견을 내고 서로의 동의를 이끌어내는 것.

만약에 그때 은석이가 '그래. 그럼 퇴근 후에 매일 저녁 사먹고 들어가자.'고 했으면 그렇게까지 정이 떨어지진 않았을 것이다. 나와 정말 결혼 생활을 꿈꾸었고 미래를 함께 하고 싶었다면 '네 입맛에 맞을지도 모르고, 잘 할 수 있을지도 모르지만 내가 저녁 차려볼게, 너는 숟가락만 들어'라고 할 법도 한데 그러지 않았다 (나는 요리를 전혀 할 줄 모르고, 그는 자신이 요리를 어느 정도 한다고 했으면서도).

그의 폭력적인 로망, 자신이 퇴근하고 오면 배우자는 무조건 집에서 앞치마 두르고 '찌개 끓이는 아내'가 되어 저녁밥을 차려야하는 게 '기본값'인 그와의 결혼 생활은 생각만 해도 끔찍했다.

단순히 밥의 문제가 아니라 '계속해서 함께 살아가려는 관계' 사이의 의견 조율이 없는 게 문제였으니까.

*

지금 만나는 남자친구와 나는 평일은 각자 알아서 먹지만 주말이면 남자친구가 차린 점심과 저녁밥을 먹고 있다. 3년간 한 번도 내가 밥을 차려본 적이 없다. 설거지도 그가 다 한다. 아침엔 둘다 밥을 안 먹지만, 가끔 내가 아침 먹고 싶을 때 내가 준비하고.

어쩌면 나는 내가 꿈꾸던 것보다 훨씬 괜찮은 식사 루틴을 사는 것 같다.

장녀분노버튼

내가 태어난 1980년대 중반에는 첫째 아이가 딸인 경우, 아들 낳을 때까지 낳는 집안들이 꽤 있었다.

보통은 두 번째에 아들이 나오거나 세 번째에 아들이 나와서 1 녀1남, 혹은 2녀1남인 집이 많은 건 그 이유에서이다. 나 같은 경우, 1녀1남 중 장녀다. 1990년 이전의 가정에서 딸 하나 낳고 끝? 그런 집은 적다. 아들 하나 낳고 끝인 집은 상대적으로 많다.

보통의 경우, 장녀는 장남에 비해 교육적으로나 물질적인 부분에서 풍족하게 지원받지 못한다. 집집마다 다르겠지만 우리 집의 경우에는 그랬다. 나는 공부하고 책을 읽는 것을 좋아했지만 결혼하면 일도 안 할 텐데 라며, 학원을 거의 보내주지 않았고, 동생은 공부나 책 읽는 것 등을 굉장히 싫어했지만 모든 사교육 비용지출은 그를 위한 것이었다. 이 부분이 내 장녀 분노 버튼 중 하나이기도 하다.

가장 기억나는 건 나는 학원을 절대 3개월 이상 다닐 수가 없었는데 부모님의 주장으로는, 그 정도 보내줬으면 배운 걸 응용해서 그 이후부터는 알아서 공부할 수 있어야 한다는 논리였다(어머니, 아버지. 그럼 대한민국 사교육 시장이 왜 이렇게 크겠습니까). 또 여자는 결혼하면 일할 것도 아닌데, 라는 이유도 있었다. 부모님이 틀렸고, 부모님의 말을 믿은 나도 틀렸다.

내 사교육은 3개월의 학원 이후에는 항상 문제집 또는 학습지 정도가 전부였다(물론 세상 어딘가에는 이 정도의 지원, 혹은 이보다 못한 지원으로도 똑 부러지게 공부해낸 딸들도 있다는 걸 안다. 하지만 그게 나는 아니다).

심지어 고 2 겨울방학 때 조르고 졸랐지만 결국 2개월짜리 특강 수업 한번 듣는 것으로 교육적 지원은 끝이었다. 나로서는 이제 막 무슨 말인지 알겠고, 이제 겨우 귀가 트인 것 같은데 그만 다니라고 하니 미치겠어서 애걸복걸했지만 학원 보내줄 돈이 없어서라고 하셔서 진짜로 쥐어짜도 나올 돈이 없는 줄 알았다.

하지만 동생이 고 1때 갑자기 미용을 한다고 하자(이때가 내 고 3시절이었는데), 한 달에 재료비까지 포함하면 거의 100만원에 가까운 돈이 드는 미용학원을 1년 넘게 보내주셨다(물론 그의 뛰어난 지랄 능력이 한 몫을 했다).

솔직히 가족 중 누가 봐도 동생은 그 분야에 딱히 소질이 없었다. 게다가 또 누가 봐도 노력을 그렇게 열심히 하는 것도 아니었다. 종합적으로 판단했을 때, 아무리 보고, 또 누가 봐도 겉멋 같았지만 우리 가족 모두, 우리의 우려를 보란 듯이 배신하고 걔가 관련 직업으로 멋지게 성공했으면 하는 마음이 있었다.

하지만 동생은 미용사 자격증을 딴 후 막상 미용실에 들어가 밑바닥에서부터 실제로 일해 보더니 힘들다며 몇 달도 안 돼서 때려치웠다. 그 많은 투자비용을 들이고서.

나에게는 일반적인 학교 공부에조차 지원을 하지 않았으면서, 남동생에게는 가능성이 없어 보이는 도전을 꽤 오랜 기간 지원해주시는 것이 서운했고 충격이었다. 남동생만 공부 외적으로도, 계속 지원받았다. 나는 끊임없이 누락되었다. 내가 난리 법석을 떨며 요구했었어야 했을까? 모르겠다.

2부

잃어버린 시간을 찾아서

소설 <잃어버린 시간을 찾아서>의 원래 제목
<À larecherche du temps perdu>에서 perdu(뻬르듀)의
뉘앙스는 그저 잃어버린 것이 아니다.
파멸되고, 몰락하고, 손상되고, 황폐해지고, 망가진 것을 의미한다
(편 홈 : 가족 희비극, 앨리슨 벡델, 움직씨, 2020, p.125).

내가 더 이상 가족을 찾지 않는 이유를 줄이고 줄이면 결국
크게 두 가지다.

첫 번째는 나의 가족이 별로인 사람들이기 때문이다.
두 번째는 나도 별로인 인간이기 때문이다.

그 남자의 장례식

 그의 장례식을 떠올리면 특별히 생각나는 게 없다. 다만 그의 장례식 이후, 더 이상 제사를 지내지 않게 되었다는 것 정도. 그는, 바로 내 할아버지다.

 할아버지는 돌아가시기 몇 달 전, 아버지를 제외하고 작은 아버지, 삼촌, 고모를 불러 얼마간의 생활비를 뺀, 나머지 현금을 모두 유산으로 나눠주셨다. 그리고 내 아버지를 따로 불러 그 얘기를 해주며 죽기 전에, 니 동생들에게 있는 돈을 나눠준 대신 집은 너한테 물려줄 거다, 라고 언질을 주셨다고 한다. 하지만 그에 대한 유언장을 남기시지 않고 돌아가셨고, 아버지는 다른 형제들과 달리 물려받은 것 없이, 집에 대한 지분도 똑같이 1/4 해서 물려받았다.

재미있는 건, 상속세 및 기타 잡비는 장남이라는 이유로 아버지가 다 냈다는 사실이다(네, 사실 재미없어요).

*

아버지가 장남이었던 탓에 제사는 거의 우리 집 몫이었다. 정확히는 엄마 몫이었다. 작은 어머니나 숙모가 안 오시는 것은 아니었지만 전반적인 준비나, 자질구레한 일, 그리고 할머니의 시도 때도 없는 잔소리와 구박을 받아가며 지시를 받는 일은 모두 엄마의 역할이었다. 할머니는 눈치가 빠르지 않은 나조차 종종 느낄 수 있을 만큼, 틈틈이 그리고 톡톡히 시어머니 노릇을 했다. 둔감한 내가 느낄 정도였으니, 아마 엄마가 실제로 겪은 압박감, 모멸감은 내가 짐작조차 하기 힘들 것이다.

엄마는 며느리 노릇을 빠뜨린 적이 한 번도 없었다. 할머니 집에 가기 싫어했지만, 막상 할머니 집에 가면, 할아버지, 할머니가 시키는 일들을 싫은 내색 한번 없이, 싫은 소리 한번 하지 않고 다 들어드렸다(어쩌면 단식원에서 내가 그곳의 엄격한 규칙을 불만 없이 잘 따를 수 있었던 건 엄마의 이런 성향을 배운 것일지도 모르겠다). 마치 회사 가기 싫어 죽을 것 같아 하면서도 막상 회사에 가면 완벽하게 일을 하는 직장인처럼.

엄마는 완벽한 맏며느리라는 포지션을 그토록 싫어했으면서, 완벽한 맏며느리로 살았다.

아빠가 완벽한 아들이었는지는 모르겠지만, 엄마는 이 집에 시집와서 완벽한 맏며느리로 살았다. 그래서 인간적으로, 나도 장남 부부인 부모님이 상대적으로 좀 더 많은 재산을 물려받았어야 한다고 생각했다. 다른 이유는 없었다. 그동안 엄마가 할머니, 할아버지를 위해 한 봉양과 희생, 각종 명절과 제사, 온갖 집안행사의 뒤치다꺼리를 생각하면 그래야 한다고 생각했다. 재산 문제에 둔감한 나조차 그렇게 생각했으니 엄마도 어느 정도 자신의 노력에 대한 보상을 받을 거라고 생각하셨을 것이다. 엄마가 한 수십 년 간의 노력을 생각하면 당연히 기대할 만한 일이었다.

하지만 다른 친척어른 부부들이 별도의 재산을 물려받은 것에 비해, 절반도 안 되는 재산을 물려받고 나니 아버지는 더 이상 어머니에게 제사나, 며느리 도리를 강요할 수 없었을 것이다. 할아버지의 사망 이후 우리 집안의 제사는 없어졌다. 이게 다였다. 이게 평생을 고생한 어머니에 대한 대접이자, 결과의 전부였다.

*

나는 장녀답게, 누가 시키지 않아도 어른들에게 공손하고 예의 있게 행동한다. 그 부분에 대해서는 맹세할 수 있다.

내가 잠시 만났던 무명 연극배우 X는 만난 지 얼마 되지 않아, 나에게 이런 저런 얼토당토 않은 부탁을 참 많이 했는데 그 중 하나가, '자신의 부모에게 꼭 잘 했으면 좋겠다.'는 부탁이었다.

나는 의아했다. 그리고 기분이 나쁘기도 했다. 나는 예의가 무척 바르다. 게다가 어른들에게 살가운 편이기도 했다. 나는 다정하지 않지만 어린 사람에게조차 정중하다. 내가 그의 부모에게 무례할지도 모른다고 짐작하게 할 만한 행동이, 아무리 생각해도 없었다. 내가 했던 말과 행동, 어느 구석에서도 어른들에게 잘 못할 것 같은 부분은 없었다. 그래서 '이런 부탁'을 따로 받는 게 기분 나빴다. 이전에 나 좋다는 남자 중에는 내가 어른들에게 공손하게 잘 하는 것을 보고 좋다는 경우도 종종 있었으니, 내 모습 중 어떤 모습이라도 어른에게 '뭘 잘 안 할 것 같은 부족함'이 있다는 생각은 들지 않았다.

"오빠, 내가 오빠 부모님한테 잘 안 할 것 같아? 아니면 어른들에게 잘 못 할 것 같아?"

나는 그에게 왜 이런 부탁을 따로 하는지, 내가 뭘 부족하게 행동한 게 있는지 그런 지점이 있으면 말해보라고 했다. 그가 나에게 뭐가 부족하다고 말한다고 해서, 그의 의견에 따라 뭘 맞추겠다는 건 아니었다. 더 이상 맞출 수 없을 만큼 많은 것을 그에게 맞추고 있었으므로.

다만 그가 어떤 부분 때문에 나에게 별도로 '이런 요구'를 하는지 알아둘 필요는 있다고 생각했다. 내가 모르는, 나의 단점인 부분이 있다면 정확히 알고 싶었다.

그러자 그가 왜 그러냐고, 화가 났느냐고 물었다. 그는 나와 다르게 눈치가 빨랐다. 내 기본 표정이 무표정이다 보니, 화가 나면 차가워지는 표정이 더 두드러지게 보였을 것이다. 나는 화가 난 것은 아니지만 기분은 나쁘다고 했다. 대부분의 남자가 화가 난 것과 기분 나쁨의 차이를 잘 깨닫지 못한다.

그는 어떤 부분이 기분을 상하게 했는지 물어봐도 되냐, 고 물어봤다. 연기를 해서인지, 그는 감정의 미묘하고 디테일한 지점을 정확히 찾으려는 노력이 있는 남자였다.

　나는 그에게, 그간의 데이트 동안 내가 어느 누구에게도 무례한 적이 없었는데 오빠가 굳이 이런 내용의 부탁을 한다는 게, 나에게 어떤 부족함이 있다고 지적하는 것 같다고 말했다. 그리고 내가 구체적으로 잘못했던 적이 있었냐고도 물었다. 그는 그렇게 느꼈으면 미안하다고 말하며, 사실 부담스러울까 봐 이야기하지 않았는데 나와 결혼까지 생각하고 있는데 결혼하게 되면 부모님 댁에서 함께 살았으면 싶다고, 그렇게 효도해서, 부모님이 돌아가시게 되면, 부모님의 건물을 물려받고 싶다고 했다.

　그의 부모님은 5층짜리 주택을 갖고 있었다. 그의 말에 따르면, 형이 그동안 부모님으로부터 받은 것이 많으니, 돌아가시면 그 건물만큼은 자신이 물려받아야 한다고 생각한다고 말했다. 그러기 위해선 잘 보여야 하는데, 그러려면 배우자의 도움이 필요하다는 생각이 항상 있어서 자신도 모르게 '부모님한테 잘 했으면 한다.'는 얘기를 자주 하게 되었다고 털어놓았다. 잘 할 것 같은 여자라서, 놓치기 싫어서, 자신과 함께 했으면 해서 그랬던 것 같다고.

　그의 고백을 듣자 정이 좀 떨어졌다. 부모의 죽음을 기다리며 재산을 기대한다는 게 나로서는 무정하게 느껴졌다. 그리고 이게, 과연 효도를 하려는 사람의 마음일 수가 있나 싶었다. 또 나는 기본은 할 자신이 있었지만 '기본 이상으로' 잘 할 생각은 없었다.

　누군가에게 잘 한다는 것, 노력한다는 것은 결국 에너지를 쓰는 일이다. 나의 어머니가 자신의 시부모님께 모든 에너지를 쓰느라 나에게는 쓸 에너지가 없어 함부로 대했던 것처럼. 어느 한 곳에 필요 이상의 에너지를 쓰면, 다른 곳에는 상대적으로 쓸 에너지가 부족하게 된다.

그래서 나는 잘 할 수 있어도, 그렇게 할 생각이 없었다.

그가 원하는 것처럼 기본 이상으로 잘한다고 해도, 나의 부모님처럼 재산을 물려받지 못할 수도 있었다. 주는 건 그냥 주는 사람 마음이다.

속 편하게도 아빠는 턱없이 적게 물려받은 재산에 대해 별 불만이 없었다. 편할 만도 한 게, 솔직히 그동안 뭘 한 게 없었다. 그냥 자기 집을 왔다, 갔다 한 정도? 그에 비해 엄마는 집안 대소사도 거의 다 챙겼고, 각종 잡일도 가장 많이 했다. 아빠는 그러느라 할머니댁에 갈 때마다 고통스러워한 엄마에게 평생 '우리가 참자, 우리가 양보하자'고, 부모님도 마지막엔 우리 마음을 알아주실 거라고 설득했다. 그 결과가 이 모양이었다.

그런데 아빠. 나는 엄마가 그때 할아버지 장례식 때 겪은 일을, 아빠가 미래의 나한테 겪게 할 것 같아. 그래서 미리 기분이 안 좋아. 이게 내 의심일까, 아니면 내가 아빠를 너무 잘 아는 걸까.

그냥 내 촉이 그래. 그러니까 내 돌봄 쪽쪽 다 받아놓고 나중에 재산은 걔한테 다 주고 그러지 말고 효도도 아들한테 받아.

아빠 돈? 필요 없어. 대신 나한테 아무것도 바라지 않는 거다?

아담의 사과

 내가 다섯 살 때, 나를 성추행한 아저씨는 며칠 뒤 나에게 사과를 했다. 나는 거절했다.

 지금 생각해보면 그 어린 게 어떻게 그랬을까 싶을 정도로 똑부러지게 '싫은데요. 용서하기 싫은데요. 용서 안 해줄 건데요.'라고 말했다. 당당하고 똑 부러지게 말하는 것까지는 무리여서 그 말을 하며 손발이 벌벌 떨리고 그가 사라진 뒤, 매번 오줌을 지리고 말았지만.

 이런 말이 무척 이상하다는 건 알지만, 그 성추행범이 그 세계 놈들 중에서는 양심이 있는 놈이었던 것 같다. 사과의 구체적인 내용은 기억나지 않는다. 다만 첫 사과 때 내가 지나가야 할 골목을 막고, 길고 긴 자기 얘기를 뭐라 중얼거린 후 '용서해줘.'라고 했던 것 같다. 그 이후로는 설명 없이, '용서해줘.'라고만 반복했고.

 그 어린 내가 뭘 알겠냐만, 그의 사과가 처벌의 두려움 때문인 것 같지는 않았다. 자신이 생각해도 뭘 잘못한 것 같아서 하는, 그런 사과였던 것 같다는 게 내 개인적인 의견이다.

 나는 매번 그의 사과를 끝까지 듣지 못했는데 그가 나타난 순간, 눈앞이 흐려지는 느낌과 멍해지는 느낌으로 나는 '용서하기 싫다'를 반복하고, 그는 지 혼자 그렇게 용서를 빌다가 사라졌기 때문이었다. 그렇게 종종 오줌싸개가 되어 집으로 돌아갔다.

 그러던 몇 번의 실랑이 아닌 실랑이를 겪은 후 어느 날, 그는 무릎을 꿇고 사과했다. 그리고 그때 처음으로 '제발'과 '용서'를 함께 말했다. 대충, '제발 용서해줘'라고 말했던 것 같다.

*

 그는 평소에 나를 예뻐하던 동네 아저씨였다. 나도 그를 잘 따랐다. 그가 나를 예뻐하는 게, 아버지의 사랑을 받는 것 같은 기분이 들었기 때문이었다.

 동네 백수인 그를 가까이 하는 아이들은 별로 없었음에도 나는 그와 친하게 지냈다. 다른 아이들이 그와 친하지 않은 게 오히려 나만의 아버지 같은 느낌이 들어서 그 기분을 누렸던 것 같다. 약간 영화 〈아저씨〉의 소미 같은 마음이랄까.

 영화는 영화다. 현실에서는 그런 일이 절대 없다. 그래서 사람들이 영화에 열광하는 거다.

 영화 〈아저씨〉 속 소미의 엄마가 차태식을 아동성범죄 성향이 있는 건 아닐까 의심하는 것은 괜히 오해해서 그러는 게 아니라, 상당히 보편적으로 할 수 있는 생각이고 사회문화적으로 합리적인 생각이다.

 혼자 노는 어린 애, 특히 여자아이는 성범죄의 타겟이 될 확률이 높다.

 동네 아이들이 모두 멀리 함에도 나만큼은 그를 따랐던 이유는 또 있었다. 그의 외모는 내 아버지와 닮았고, 그래서 나는 그에게 더 친한 척을 했다. 배를 타느라 아버지 얼굴을 2-3달에 한 번, 그것도 이틀 정도밖에 볼 수 없었던 나의 세상에서 아버지는 사실상 거의 모든 순간 부재였고 나에게는 오히려 그가 아빠 같았다.

*

 나는 평생 이 이야기를 아무에게도 하지 않았다.

 첫 번째 이유는, 내가 이 얘기를 하면 아빠가 상처받을까봐. 이제 와 생각하니 내가 말했던들 아빠가 상처를 받았을까 싶다.

 두번째 이유는, 그날 나만 혼자 두고 남동생만 데리고 여수 외갓집에 간 엄마를 원망하는 걸 들키기 싫었다. 당신을 원망하는 내마음을 들키면 나를 미워할까 봐.

그나저나 어릴 때는 '저 날'이 문제였다고 생각했었는데, 생각해보면 엄마는 어딜 갈 때 나만 놔두고 동생만 데리고 다닐 때가 참 많았다. 그러니 저 날이 아니더라도 언제 벌어지든 벌어질 일이었다. 내가 그렇게 어렸는데도.

 5살짜리 여자애를, 장녀라고, 첫째라고, 그렇게 했다. 강하게 커야 한다며. 아니, 뭐 얼마나 강해져야 하는데요. 무슨 블랙 위도우라도 만들 생각이세요? 나는 고작 인간일 뿐인데.

 그나저나 아빠는 무슨 일이 있을 때마다 나에게 이렇게 말하곤 했다.
'일 크게 만들려고 하지 마라.'

 그리고 무슨 일이 생기면 엄마가 가장 많이 했던 말은 이거였다.
'너는 잘못한 게 진짜 하나도 없니?'

 지금 생각하니 또 빡치네. 어쨌거나 이 이야기를 했더라면 아빠는 입을 다물라고 했을 것이고, 엄마는 너는 잘못한 게 하나도 없냐고 잘잘못을 따졌을 것 같다.

 그래서 결과론적이긴 하지만, 안 힘든 건 아니었지만 말하지 않기를 잘 한 것 같다. 나는 아빠의 생각과 반대로, 말을 꺼낸 순간 일을 크게 만들고 싶었을 것이고(내가 성격이 예민해서 일을 크게 만들고 싶다는 게 아니라, 아동성추행은 '진짜 예민해도 되는' 큰일 아닌가?), 그 당시의 나는 엄마의 생각을 무조건적으로 받아들이던 때여서, 엄마가 니 잘못이라고 하면, 나도 엄마 생각을 복사 붙여넣기해서 내가 잘못한 게 있다고, 아니 다 내 잘못이라고 생각하며, 24시간 나 스스로를 내가 강하게 혼냈을 것이다.

 아무도 내 편을 안 들어줬을 것이고, 아무도 나를 위해 싸워주지 않아서, 혼자 싸워야 했을 것이다, 아마도. 만약 그때 싸우려고 했다면, 나는 얼마나 외롭고 힘들고 비참했을까.

*

 어느 날, 나는 동네에서 어느 부부가 싸우느라 주고받는 욕을 약간 주워들었다. 아주 사납고 공격적인 말투의 말들이었다. 왜 그랬는지 그 공격적인 말들을 외우고 싶었다. 몇 가지 상스런 말과 '그냥 혼자 뒈져라'라는 그 말.

 며칠 후, 다시 또 그 성추행범이 나에게 사과를 하기 위해 나타났다. 그가 또 용서를 구하자 나는 얼마 전 외운 '상스런 말'들과 함께 그냥 뒈져, 라고 말했다. 크게 소리치고 싶었는데 목소리가 크게 나오지 않아서 대신 그를 똑바로, 죽일 듯이 노려보며 말했다. 제발, 뒈져줘, 라는 마음을 가득 담아. 나는 그가 무섭지 않았다. 이런 식으로 계속 괴롭힐 거면 차라리 죽여라 하는 마음이었다.

 며칠 후 그가 등장하곤 하던 골목 어느 집 앞에 폴리스 라인이 쳐졌다. 누가 자살했다는 것이었다. 자살한 그 누군가가, 그 성추행범인지는 확실하지 않다. 다만 비슷한 시기에 그도 사라졌다.

 도망간 것일 수도, 이사를 간 것일 수도 있다. 다만 내 마음의 평화를 위해 그때 자살한 누군가가, 그 성추행범이라고 믿고 있다.

1인분의 삶

내가 독립한 지 몇 년 되었다고 하면, 간혹 '오, 그럼 요리 좀 하시겠네요'라는 말을 하는 사람들이 있었다.

독립이 왜 음식 실력으로 연결되는지 모르겠다. 독립을 안 하고 가족과 살아도 요리해 먹는 사람은 요리를 잘 하고, 독립을 해도 (나처럼) 맨날 사먹는 사람은 결코 요리 실력이 늘 수가 없다. 누군가 내가 요리를 잘 하는지 궁금했을 때, 그보다 먼저 했어야 할 질문은 일단 요리를 하는지가 우선 아닐까.

난 요리 자체를 안 하는데.

나는 독립한 지 10년차이지만 할 줄 아는 요리가 몇 개 없다. 그냥 나가서 사먹거나 손이 별로 안 가는 음식인 컵라면이나 볶음밥, 밀키트가 내 주식이다.

나에 비하면 남자친구는 요리를 얼추 다 한다. 남자친구 말로는 유튜브 보면 다 나와있다고, 자신도 외워서 하는 건 하나도 없고 보면서 하고 그래서 하고 나면 다 까먹는다고 하는데, 정보의 바다에서 그 정보를 이용해 뭔가를 한다는 것 역시 할 줄 안다는 것이다. 왜냐하면, 나도 유튜브 볼 줄 알고, 그리하여 어쩌면 나도 유튜브 보고 따라하면 만들 수 있을지도 모르지만 하지 않으니까.

예전에 나의 그런 부분에 대해 핀잔을 준 남자친구가 있었는데, 그럼 너는 그만큼 요리를 잘 하냐는 내 말에 자신은 일이 바빠 요리할 시간이 없고, 대신 그만큼 돈을 잘 번다고 했다. 아니 지금 우리의 주제는 누가 더 잘 버느냐가 아니라 '요리를 할 줄 아느냐, 아니냐'였잖아. 더 잘 버니 요리를 못 해도 된다, 는 결론이 여기서 왜 나오지?

나는 그에게 노력할 가치를 못 느껴서 얼마 안 가 그와 헤어졌다. 얘야, 나는 돈 잘 버는 것을 가치 있게 생각해주는 사람이 아니란다. 니가 돈을 잘 번다고 해서 그게 내 돈 될 것도 아니고, 금전적인 부분은 그냥 빚 없고 자기 앞가림만 하면 된다는 게 내 생각이다.

내가 남자를 볼 때, 중요하게 생각하는 부분은 2가지인데 첫 번째가 상호존중, 두 번째가 살림능력이다(사실 얼굴도 엄청 봅니다만 이건 너무 기본사항이니 패스할게요).

상호존중에 대해서 말하자면, 아주 기본 같지만 현실적으로는 아주 쉴 새 없이 지켜지지 않는 부분이다. 이것을 자세히 설명하기엔 내가 이 분야에 딱히 전문가도 아니고, 내가 가진 어휘력이 부족한 감이 있다는 생각도 들지만 가스라이팅이 상호존중을 하지 않기에 발생하는 문제이며, 스토킹 역시 상대의 의견을 존중하지 않아야만 발생할 수 있는 문제라는 정도만 짚고 넘어가자 (설명 끝).

 살림 능력, 다행히 이건 좀 얘기할 수 있겠다.

 나는 언제부턴가 남자를 선택할 때 그가 빨래, 설거지, 청소, 화장실 청소를 '시키지 않아도' 알아서 잘 하는 인간이냐가 중요해지기 시작했다. 얼마를 버느냐는 중요하지 않았다.

 아마도 동생(놈)이 화장실을 사용할 때 소변본 뒤, 자신의 튄 오줌방울을 정리하지 않아서가 그 시작이 아닐까 한다(지금 생각해도 더러워 죽겠네). 그때마다 내가 샤워기로 청소를 하며, 때론 말라붙은 오줌을 솔로 닦으며, 동생에게 오줌 싸면 튄 거 정리하고 나오라고 얘길 했지만 그는 전혀 들어먹질 않았다. 그래서인지 독립하고 기뻤던 점 중 하나는, 더 이상 화장실에서 오줌 튄 변기를 마주할 일이 없다는 것이었다.

 나는 어릴 때 아빠가 왜 엄마의 잔소리를 들으면서도 양말을 뒤집어 벗고, 집안일을 하나도 하지 않는지 궁금했다. 또 남동생이 내 잔소리를 그렇게 (쳐)들으면서 자신의 오줌방울을 끝끝내 청소하지 않는지 참 궁금했다. 아빠도 엄마 잔소리를 안 들어서 화장실을 깨끗이 쓰는 법이 잘 없었는데 남동생도 아빠를 보고 무의식적으로 배웠을 것이다. 여자 말은 흘려들어도 된다, 내가 아무리 더럽게 해도 더러운 게 싫은 사람이 청소하겠지, 하는 못된 마음을.

　나와 남자친구는 주말데이트를 할 때 둘 중 한 사람의 집에서 시간을 보낸다. 남자친구가 집에 반려묘를 키우게 되면서부터는 거의 내가 그의 집으로 가서 데이트를 하는 경우가 많은데 주말 데이트를 하는 이틀 동안 나는 전혀 살림을 하지 않는다. 그의 집이 청소가 되어 있을 때도, 안 되어 있을 때도 있지만 그렇다고 내가 뭐라 하지도, 치우지도 않는다. 그가 내 집에 왔을 때도 똑같다.

　요리는 오로지 남자친구의 몫이다. 식사 준비를 둘이서 할 정도로 주방이 넓지 않은 것도 있지만 우리가 번갈아가면서 요리를 한 적은 없다. 그의 집이라서 그런 부분도 있지만 나의 집에서 할 때도 크게 다르지 않았다. 설거지는 내가 할 때도 있지만, 설거지까지가 요리의 완성이라고 생각하는 남자친구는 웬만하면 설거지까지 자신이 다 한다.

　연애 초반 일인데, 나는 평소 쓰레기가 생기면 그걸 바로 쓰레기통에 버리지 않고 그냥 방바닥에 두곤 했다. 그가 왜 쓰레기를 바로 버리지 않느냐고 묻길래 지금은 누워있으니 나중에 '일어날 일이 있을 때' 버리겠다고 말했다. 혼자 사는 동안 생긴, 편하고 더러운 습관이다(이제 보니 나도 청결한 인간은 아니구나).

　남자친구는 약간 뜨악한 표정을 짓더니 일어나서 그 쓰레기를 버려주었다.　그 후로도 매번, 나는 쓰레기가 생길 때마다 나중에 '일어날 일이 있을 때' 버리려고 했고 그럴 때마다 남자친구는 일어나서 그 쓰레기를 자신이 버리고 오곤 했다.

속으로 생각했다.

'엄청 편하네.'

*

 아, 그제야 깨달음이 왔다. 아버지와 남동생이 편해서 개기는 거였구나.

 잔소리를 아무리 듣는다 해도, 직접 몸을 움직여 쓰레기를 버리고 요리를 하고 설거지를 하는 귀찮음에 비할 바가 아니었다. 아무리 잔소리가 지겨워도 직접 몸을 움직여 하는 집안일보다는 만배쯤 편했다. 솔직히 너무너무너무 편했다.

 나는 1인분의 몫을 하는 인간이고 싶다. 쉽지 않다. 그래도 인간다워지기 위해 이제는 직접 버린다. 아주 가~끔 일어날 때 버리기도 하지만.

너는 진짜 잘못한 게 하나도 없어?

 초등학교 때, 짝인 남자아이가 내가 자신의 책상선을 튀어 넘었다는 이유로 내 팔을 칼로 그었다. 수업 중이었고, 나는 공포에 질려 소리를 질렀고, 담임선생님이 교탁 앞으로 우리 둘을 부른 후 그 아이를 매우 혼냈다. 그리고 그주 금요일, 전체적으로 짝도 바꿨다. 원래 짝을 바꾸는 날이 아니었는데도 선생님의 섬세한 배려였다.

 문제는, 그 아이가 선생님으로부터 혼이 난 후에도 자신이 잘못한 것을 전혀 인지하지 못하고, 짝이 아니라서 멀리 있는데도 굳이 내 주변에 와 얼쩡거리며 또 나를 괴롭히고 내 관심을 받으려고 했다는 사실이었다(그렇다. 그 아이는 나를 좋아했고 자신의 호감을 나를 괴롭히는 방식으로 표현했다).

나는 그 아이가 좀 더 혼나야 한다고 생각했다. **아주 눈물이 쏙 빠지게,** 그 아이 부모님까지 불러와 **그가 자신의 부모님 앞에서 오줌 줄줄 쌀 정도로** 혼이 나야 한다고 생각했다. 나는 며칠 전 학교에서 있었던 그 일을 엄마에게 말했다.

엄마, 우리 반 남자애가 내 팔을 칼로 그었어. 그래서 선생님이 혼냈어. 그런데 또 그럴지도 모르잖아. 엄마가 학교에 말해서 그 애 부모님 불러서 다시는 안 그러게 교육 잘 시키라고, 혼내라고 말 좀 해줘.

엄마는 누가 내 몸에 칼을 그었다는 말을 듣고도 전혀 놀라지 않았다. 쳐다보지도 않았다. 너무 반응이 없어서 내가 한 말을 못 들었나 싶어서 내 얘기 들었냐고 되묻자, 엄마는 늘 그랬듯 귀찮다는 듯이 들었다고 했다. 나는 문제의 심각성을 알리기 위해 엄마에게 팔을 내밀었다. 아프지는 않았지만 아픈 척을 하며, 이렇게 길게 그었다고 했다.

엄마는 귀찮은 잡상인 다 보겠다는 말투로, 이런 걸로 안 죽어, 라며 팔을 치우라고 했다. 물론 안 죽었으니 엄마한테 이야기를 하고 있는 거고, 죽을 정도로 칼로 공격을 받았으면 엄마에게 이러고 있을 게 아니라 병원에 가서 치료를 받으면서 경찰에 해당 경위를 이야기를 하고 있었겠죠.

엄마가 그만 하라며 자리를 피했지만 나는 엄마를 따라다니며 '학교에 가서 선생님한테 말해 그 엄마를 불러 그 아이의 사과와 다음부터 이런 일이 없도록 하겠다'는 약속을 받아달라고 졸랐다.

그의 부모님한테 아들을 잘못 키운 것에 대해 사과와 함께, 다시는 이런 일이 없도록 하겠다는 다짐을 받고 싶었다. 충분히 그럴 만한 일이라고 생각했다. 그러자 엄마가 지겹다는 듯 한숨 쉬며 말했다. 내가 동생과 싸우거나 친구와 싸우고 속상함을 이야기할 때마다 항상 하던 그 말.

"너는 진짜 잘못한 게 '하나도' 없니?"

나는 순간적으로 멍해졌다. 그 아이 자리로 내 팔이 조금 넘어간 것이 잘못이라면 잘못이겠지. 그렇다고 해서 그게 칼 그어질 정도의 잘못인가? 나는 혼란스러워서 입을 벌리고 엄마를 쳐다보았다. 엄마는 계속 나를 다그쳤다.

"엄마가 묻잖아. 진짜 너는 잘못한 게 하,나,도, 없어? 니 양심을 걸고 전혀?"

팔이 선을 넘은 게, 칼로 몸을 긁혀야 할 정도의 잘못이라고는 생각이 들지 않았다. 하지만 엄마의 압박 질문을 듣자 뭐라도 하나 내 잘못이라고 해야 할 것 같았다. 나도 모르게, 내 잘못을 찾으려 애쓰고 말았고, 결국 말하고 말았다.

"아니, 전혀 잘못이 없는 건 아닌데, 그래도 칼로 그었다니까."

엄마가 피곤하다는 듯 말했다.

"내가 물은 건 그게 아니잖아. 니가 잘못한 건, 진짜 하,나,도, 없,느,냐,고."

음절 하나하나를 끊어서 '나의 잘못'에 포인트를 찍는 엄마에게, 나는 무슨 큰 죄를 지은 사람처럼 주눅이 들어 말했다.

"내가 그 아이 책상을 모르고 넘었어."

엄마가 안심했다는 듯 한숨을 뱉으며 말했다.

"거 봐, 잘못을 한 게 있잖아, 그치? 그래서 걔가 그런 거잖아. 니가 책상 안 넘었으면, 걔가 그럴 일이 있었겠어?"

하지만 엄마. 그 아이 행동 논리 대로라면 만약 그 아이 책상 쪽으로 넘어간 게 팔이 아니라 얼굴이었다면, 칼로 내 얼굴을 그어도 나는 아무 말도 못 해야 하는 건데 그게 맞아? 내가 책상 선을 넘었다는 이유만으로 칼로 사람의 몸을 긋는 게 말이 돼?

이미 그 아이는 내가 책상을 넘지 않아도, 아무 이유 없이도 수십 가지 방식으로 매일 십 수번씩 나를 괴롭혔다. 그 전에도, 그 후에도. 나는 이 대화가 흘러가려는 방향을 깨달았다. 여기서 그 아이의 괴롭힘을 낱낱이 일러바친다고 해서 엄마가 내 편을 들 것 같지는 않았다.

엄마가 내 잘못을 집요하게 물어본 것은 진짜 정의를 실천하려는 게 아니었다.

Q. 내가 잘못한 게 하나도 없으면 엄마가 나를 도와줬을까?
A. 아니오.

Q. 그렇다면 엄마는 나를 왜 안 도와줬을까?
A. 그냥. 혹은 귀찮음.

이후로도 내가 하나도 잘못하지 않았는데, 누가 날 괴롭혔을 때 다른 곳에 도움 청할 곳이 없어 엄마에게 도움을 요청하자, 그때마다 엄마는 늘 그렇듯이 한결같이 나를 도와주지 않았다. 오히려 무슨 마법의 주문처럼 또 "너는 잘못한 게 하나도 없니?"라고 물었다.

그녀가 내 잘못을 묻는 것은, 결코 정의를 실현하기 위해서가 아니라는 것을 어느새 깨닫게 되었다. 그 질문은 아무 노력도 하지 않기 위해 물어보는 말이었다.

거 봐, 너도 잘못한 게 있잖아. 왜 그 사람만 탓해.

누가 나를 괴롭히든, 엄마는 신경을 쓰기 귀찮았던 것이다. **나의 고통이 귀찮고, 나의 고통을 이해해 주는 것이 귀찮고, 나의 고통을 해결하기 위해 함께 노력해 주는 것이 귀찮고.** 그러니까 사실은 내가 귀찮았던 것이다.

그래서 내가 엄마한테 이렇게 정이 안 가는 걸까. 보호받았어야 할 시기에 한 번도 내 고통을 봐주지 않았던 사람이라서.

프랑켄슈타인의 창조물로 산다는 것

엄마는 엄청난 미인이었다. 엄마의 고향에서 2번째로 손꼽히게 돈 많던, 현금으로는 제일 부자라던 집안에서 중매가 올 정도였다고 하니 얼굴 예쁜 걸로 아주 유명했던 모양이다. 실제로 그 집안과 맞선도 봤다고 한다. 맞선에서 그 남자가 외할머니의 기분이 상하게 하는 행동을 해서 결혼으로 이어지진 않았지만.

그렇게 주변에서 알아줄 정도로 엄마는 예뻤다. 나의 엄마라서가 아니라 객관적으로도 진짜 예뻤다.

그래서 엄마 눈에는 내가 못생겨보였던 것 같다. 내 동생은 어느 정도 잘생긴 편이고 어릴 때는 아주 예쁘장한 어린이였다. 그런 하얗고 백설기 같은 동생의 얼굴에 비하면 나는 비교적 가무잡잡하고 이목구비가 흐릿한 얼굴이었다.

엄마는 나에게 직접적으로 못생겼다고 말하기도 했고 무엇보다 어린 나에게 어디어디를 성형해야 할 것 같다는 말을 하곤 했다. 하면 좋을 것 같다, 가 아니라 **해야 할 것 같다**, 고. 눈도, 코도, 키도, 몸도 엄마가 보기에 나는 한참 자격미달이었다.

『노트르담의 곱추』의 콰지모도, 독일민담의 룸펠슈틸츠헨, 『프랑켄슈타인』의 괴물.

 나는 그들이 등장하는 책을 읽으며, 그들이 느끼는 자기 외모 혐오가 어떤 것인지 너무 잘 이해되었다. 그들이 하는 외모 혐오는 내가 매일 느껴야 하는 것이었다.

*

 하지만 엄마나 나의 기준이 아니라, 세상의 기준으로 봤을 때 아무리 박하게 평가를 한다 해도 나는 결코 못생긴 외모가 아니었다. 물론 화려한 외모나, 눈에 띌 정도로 예쁜 외모는 아니었다. 그렇다고 해도, 눈, 코, 입, 피부 등등 나노 단위로 나눠 외모 평가를 한다 해도, 못생김의 축에 넣을 얼굴은 아니었다.

 어려서부터 나는 참 똘망똘망했고, 어른들의 평가가 미의 기준이라고 할 순 없지만 '참 단정하게 생겼다.'는 말을 듣곤 했다. 눈이 엄청 크거나, 코가 굉장히 오똑하거나 그런 건 아니었지만 내 눈, 코, 입은 내 얼굴 안에서 최대한 사이좋게, 조화롭게 자리하고 있었다. 나에게는 이 조화로움이 아름다웠고 만족스러웠다.

나는 내 외모를 단 한 번도 별로라고 생각하지 않았다. 다만 내 쌍꺼풀 없는 눈과 낮은 코, 희지 않은 피부와 작은 키가 엄마에게 왜 별로인지에 대한 의아함이 항상 있었다. 나름 귀여웠는데.

엄마의 젊은 시절의 사진을 보면 확실히 나에 비해 화려한 느낌이 있다. 작은 얼굴에 선명하게 자리한 이목구비와 말랐으면서도 균형잡힌 몸. 그런 엄마처럼 동네에 소문이 날 정도로 아름답지는 않았지만, 그렇다고 해도, 내가 위에 열거한 콰지모도나 이름조차 없던 프랑켄슈타인의 괴물, 룸펠슈틸츠헨처럼 사람들이 거리감을 느낄 만큼 흉한 부분도 없었다.

『프랑켄슈타인』을 쓴 메리 셸리는 이렇게 말했다.

원치 않는 장소에, 원치 않는 방식으로 존재하게 되면 누구나 괴물이 된다.

괴물은 실낙원의 문장을 빌려 자신의 마음을 털어놓는다.

내가 진흙에서 나를 빚어 생명을 얻게 해달라고 했습니까. 내가, 이 고통뿐인 세상에 사람으로 태어나게 해달라고 간청했습니까.

『프랑켄슈타인』을 읽을 때마다 그런 생각이 들었다. 이 프랑켄슈타인과 괴물의 관계가 꼭 엄마와 나의 관계 같다고.

생명을 탄생시킨 존재와, 그 존재로부터 생명과 육체를 얻을 수 있었으나 끊임없이 혐오받으며 그로부터 조롱당하고 공격받아야 하는 존재. 자신의 피조물을 공격하고 혐오하는 창조주와 그의 사랑을 간절히 원하는 존재. 그리하여 항상 비참함을 안고 사는 존재.

그레타 거윅의 영화 《레이드 버드》에서 엄마인 메리언이 딸 크리스틴에게 말한다. 난 그저 네가 언제나 가능한 최고의 모습이길 바랄 뿐이야.

딸인 크리스틴이 말한다. "지금, 이런 내 모습이 나의 최선이라면?"

갑자기 찬물을 세게 맞은 것처럼 이런 생각이 들었다.

나는 엄마가 가능한 최고의 사랑을 나에게 주길 바랐는데, 지금 엄마가 취하는 태도가, 그녀의 최선이라면? 나로서는 혐오당하고 조롱당하고 평생 비참함을 감수하며 살았던 기억을 갖게 만든 그녀의 잔인하고 냉정한 태도가, 그녀의 행할 수 있는 최선이었던 거라면?

훨씬 더 가혹하게 학대하고, 훨씬 더 무자비할 수 있었고, 더 틈나는 대로, 아니 스트레스 받을 때마다 훨씬 때릴 수도 있었고, 더 많은 욕설을 퍼부어가며 더욱더 함부로 키울 수도 있었는데, 그녀로서는 자신이 할 수 있는 최선의 선함을 베풀어서 나를 키운 게 그 정도였던 거라면?

시어매가 시키드나

 오랜만에 집에 내려갔을 때 엄마가 저녁으로 고기를 굽다가 버섯을 사오라고 시킨 적이 있었다. 고기만 먹으면 살찌니까 버섯을 많이 먹어야 한다며(또 그놈의 살 이야기. 나는 당시 말라깽이였다). 나는 알겠다며 버섯을 팔 만한 가장 가까운 가게를 물었다. 집에 자주 오지 않아 팔 만한 가게를 잘 몰랐기 때문이었다.

 엄마가 가르쳐준 가게에 가자, 문이 닫혀 있었다. 오늘 안 열었나 싶어서 가려는데 지나가던 어떤 할아버지가 물었다.

"왜, 뭐, 살 거 있어?"
"아, 오랜만에 집에 와서 엄마가 버섯 좀 사오라고 하셨는데 문을 닫았네요."
"여기 이사 온지 얼마 안 됐어? 이 가게 옛날부터 6시 안 되도 해

떨어지면 바로 문 닫아 버리는데. 동네 사람 다 알아."
"어... 저는 서울 살고 부모님은 여기 산지 꽤 되세요."
"쯧쯧. 시어매가 시키드나."

 나는 조그맣게 말했다.
"시어머니가 아니고 진짜 엄마가 시킨 건데요."

 할아버지는 내가 시어머니 심부름이 아니라 엄마의 심부름이라고 한 말을 듣는 둥 마는 둥 하더니 말했다.

"저 위에 마트 가. 좀 멀어."

 내가 마트에서 버섯을 사오자 엄마는 왜 이렇게 늦었냐며 너 기다리다가 목 빠질 것 같아서 동생은 먼저 먹으라고 했다고 타박했다. 동생이 다 먹고 남은 음식들이 보였다. 속이 안 좋았다.

"엄마가 알려준 가게, 해 떨어지면 문 닫는 가게라고 하던데. 일찍 문 닫는 가게인 거 몰랐어?"
"그래?"

*

 시어매가 시키드나, 하는 그 할아버지의 말이 계속 머릿속을 맴돌았다. 왠지 흘려지지가 않았다.

 만약 내가 이 의심을 해결하고 싶어서, 그 가게 빨리 문 닫는 걸 진짜 몰랐냐고 다시 물어봤을 때 엄마가 절대 그런 게 아니라고 하면, 더 따져 물을 증거는 없지만 내 마음 속 어떤 예감은 그 할아버지의 말처럼 엄마가 나를 골탕 먹이려고 일찍 문을 닫는 가게에 심부름을 시킨 것만 같았다.

*

할머니가 엄마한테 평생 그랬다. 엄마에게 그 물건을 팔지 않는 가게에 심부름을 보내고, 사오지 않았다고 화를 내고, 너는 그것도 못 하냐고 사람들 앞에서 창피를 주고.

이런 일은 한 두 번이 아니었다. 명절과 제사 때마다 할머니는 엄마를 이런 식으로 괴롭혔다. 작은 어머니나 숙모도 괴롭혔는지는 모르겠다. 나의 관심은 내 엄마만을 향해 있었으니까. 엄마는 할머니에게 어떠한 변명도, 불만도 말하지 않고 할머니의 꾸중이 끝나면 입을 꾹 다물고 부엌으로 갔다.

엄마가 부엌으로 가면, 나는 할머니에게 왜 그러시느냐고 뭐라 싫은 소리를 했지만 지금 생각해보니 그 정도로는 할머니의 괴롭힘에서 엄마를 지킬 수는 없었을 것이다. 하지만 그러고도 나는 할머니와 잘 놀았다. 할머니는 나를 제일 예뻐했으니까.

엄마가 나를 골탕 먹이려고 그랬는지, 정말 가게가 문을 닫은 걸 몰랐는지는 알 수 없다. 이제는 궁금하지도 않다. 그냥 내가 이해한 대로, 오해하기로 했다.

내가 알고 있고, 내가 30년 넘게 경험한 데이터에 의하면 엄마는 모르고 그런 게 아니었다. 엄마는 나를 은근하게 골탕 먹이고 싶어서, 문 닫은 가게로 심부름을 시키고, 다른 가게에 가서 사오느라 늦게 들어온 나를 혼내고, 너 때문에 다른 사람들이 식사를 못했다고 창피를 주고, 그 창피를 받는 상대방이 반박하지도 못하고 비참해하는 것을 느끼면서 자신의 권위를 확인하는 이 상황을 즐기고 싶어서 그런 것이었다.

 이건 아주 교묘하고 잔인한 유희였고, '아주 정확히' 할머니가 엄마를 갖고 놀던 그 방식이었다.

 그녀는 시어머니한테 당한 방식을 물려받은 줄도 모른 채 물려받아, 그대로 나한테 하는 것이다. 당할 때는 괴로웠지만 막상 해보니, 묘한 쾌감을 느끼며. 엄마는 지금 할머니의 사랑을 받았던 나에게, 자신이 받았던 시어머니의 괴롭힘을 되갚아주고 있었다. 엄마가 이 유희를 통해 묘한 쾌감을 느낀다는 것을 모를 수가 없었다. 할머니 역시 엄마를 괴롭히고 나면 살짝 기분이 좋아지는 것 같았으니까.

 할머니가 엄마에게 잔소리를 하면, 내가 다시 할머니에게 그러지 마시라고 싫은 소리를 했고, 그러면 할머니는 안 그러겠다고 하며 다음번에는 다른 방식으로 심부름을 시켜서 괴롭혔다. 기출변형을 하는 것이다. 나쁜 방식으로지만 머리가 좋았던 것이다, 우리 할머니. 나는 엄마를 교묘하게 괴롭히는 할머니를 막을 재간이 없었다.

 그래서 엄마는 자신이 겪은 가장 교묘하고 짜증나는 방식으로, 되돌려주는지도 모르고 되돌려주는 것이다.

이제 내가 궁금한 것은 이런 것이다. 엄마는 내가 그것을 안다는 것을 모를까. 아니면 자신이 어떠한지를 모를까.

쌍년과 구원자, 여자사람

〈와이 우먼 킬〉 시즌2의 주인공 알마는 평범한 가정주부다. 그녀는 드라마 내내 이런 말을 한다.

'나는 좀 더 나은 걸 원해.'

'아니, 나는 최고의 것을 원해.'

알마 필콧, 그녀의 꿈은 동네에서 영향력 있는 부인들의 정원 모임인 <일리지언 파크 정원 클럽> 회원이 되는 것뿐이다. 하지만 장애물이 너무 많고 그 장애물들에 걸려 번번이 들어가지 못한다.

그 클럽에 기를 쓰고 들어가고 싶어 하는 그녀를 남편은 이해하지 못하며 이런 별 거 아닌 일에 애쓰는 '지금의 당신'보다 '예전의 당신'이 좋다고 말하자, 그녀는 과거의 자신을 원하지 않는다고 말한다. 안달하는 자신의 마음을 남편이 이해해주지 않자, 그녀는 소리친다.

"나는 인생에서 많은 것을 바랐는데 다른 사람들이 그 여자는 그럴 자격이 없다고 믿게 했어. 그래서 자기에게 내던져진 찌꺼기에 만족하자고 스스로를 다독였지. 감사하는 마음으로 찌꺼기를 삼킨 거야. 어느 날, 그 여자는 깨닫게 됐어. 더 받을 자격이 있다는 걸."

*

할머니의 장례식 날, 눈이 퉁퉁 붓도록 울고 있는 내게 엄마가 말했다. 너, 그 여자가 얼마나 어마어마한 쌍년이었는지 아느냐고. 돌아가신 할머니를 향해, 엄마는 쌍년이라고 말했다. 나는 그때 들었던 그 발음이 너무 찰져서, 가끔 〈도둑들〉의 전지현이 말하는 것 같았다는 생각을 가끔 하곤 한다. 엄마, 할머니 진짜 싫어했었구나. 하지만 그 말을 내뱉자마자 엄마는 무너지듯이 엉엉 울었다. 운다는 표현은 부족하다. 걷잡을 수 없이 무너지듯 울었다고 하는 게 어울릴 만큼, 거대한 울음이었다.

멍해져 있는데 친척 한 분이 이러다 탈진할 것 같은 엄마를 모시고 밖으로 나갔다. 그렇게 그대로 멍하니 있는데 누군가 들어왔다. 나는 엄마가 너무 괘씸하고, 상스럽고, 천박해보였다. 할머니의 이웃인 아주머니가 지나가다 멍해져 있는 나를 보고는 다가와 괜찮냐고 물었다.

"이모, 엄마가···."

할머니보고 쌍년이래요. 그래서 울지 말래요.

그러자 그 이모는 한숨을 푹 쉬더니, 에휴, 하고는 이렇게 말했다.

"오래 참았다, 느 엄마."

할머니를 욕한 엄마를 비난해주길 바랐는데, 그녀는 느 엄마만큼 오래 참은 사람도 없을 거라고, 평생 그렇게 당했으면 살면서 들이받지 않은 것만도, 도망가지 않은 것만도 보살이라고 하며 일어났다.

그렇다. 어쩌면 할머니는 시어머니로서는 쌍년이라고 욕을 먹어도 부족하지 않을 정도로 쌍년이었다. 엄마의 친척이 아니라, 할머니의 이웃, 할머니의 친척이 보기에도 할머니 편을 들 수 없을 정도로 엄마를 알뜰살뜰 괴롭혔던 것이다. 내가 본 모습만도, 사실 꽤 많다. 그럼에도 나는 할머니를 좋아했다. 아니 사랑했고, 아직도 사랑한다.

할머니가 나에게 베푼 사랑은, 내가 받은 그 어떤 사랑보다 양 많고 질 좋은 사랑이었다. 그래서 그녀가 인성이 훌륭하지 않고, 교묘하게 사람을 괴롭히는 사람이었음에도 큰 문제가 되지 않았다. 어쩌면 아예 문제가 되지 않았었는지도 모르겠다.

그게 문제였다. 엄마는 알고 있었던 것이다. 내가 그녀의 끔찍한 사랑을 받는다는 걸, 그래서 나도 그녀를 끔찍이 사랑한다는 걸.

엄마가 나를 함부로 대하는 행동의 밑바닥에는 자신의 편이 되어주어야 할 딸이, 자신을 괴롭히는 사람과 함께 행복해하던 모습에 대한 기억의 지분도 있을 것이다.

*

하지만 할머니는 나의 구원자였다. 위험에 빠진 사람을 구하는 것만이 구원은 아니다. 그녀는 항상 나를 위해, 내 편에서 생각했다.

고등학교 때 친구와 대판 싸우고, 물론 절교도 하고, 마지막으로 쌍욕까지 한 날, 나는 내가 좀 싫어졌다.

수능을 치른 직후였고, 각자 지역이 다른 대학에 진학해서 굳이 절교를 하지 않아도 조금만 시간이 지나면 자연스럽게 안 볼 수 있는 사이였다. 그 아이는 순해빠진 내게 종종 비속어를 쓰곤 했다. 평소에 하던 것처럼 그날도 작은 시비를 걸며 나를 무시하는 말을 내뱉었는데, 나는 그동안 애써 참았던, 그동안 해주고 싶었던 쌍욕을 그에게 해주었다. 아주 침착하고, 아주 서늘하게.

며칠 후, 할머니 댁에 가서 TV를 보다 문득 그 친구(년)과의 절교가 생각나자 내 자신이 한심해졌다. 그냥 어차피 두어달 뒤엔 평생 안 볼 사인데 참을 걸 그랬나 싶었고, 내가 너무 못된 년 같았다.

나는 할머니 무릎을 베고 누워 있다가 조금 질질 짜기 시작하면서 그 이야기를 털어놓았다. 지금에야 별 일이 아니지만, 그 당시엔 친구와 절교를 한다는 게 너무 나쁜 일 같았고, 욕을 한 내가 아주 나쁜 년 같았다. 참을 수도 있었는데 그냥 안 참은 것도 마음에 걸렸고, 그래도 욕을 하니 시원한 것도 마음에 걸렸다.

 그 애가 좋은 애는 아니었지만 친구에게 욕을 했다는 사실이, 내가 너무 별로인 아이처럼 느껴진다고 말하며 울음을 터뜨리자 할머니가 내 머리를 쓰다듬으며 말했다.

"걔가 욕먹을 짓 했겠지."

 맞다. 걔가 욕먹을 짓 했고, 먼저 욕을 한 것도 그 애였다. 하지만 할머니는 모르겠지만 난 그런 애랑 똑같지 않은데, 나는 그 애보다 훨씬 나은 인간인데 똑같이 욕을 했어, 아니 사실 되받아치느라 내가 조금 더 쌍욕을 했어, 그러면서 계속 울었다.

 할머니가 계속해서 내 머리를 쓰다듬으며 말했다. 이구, 이 순둥이. 지가 욕 좀 했다고 우는 것 보소. 이 정도 일에 울 애가 화를 내고 욕을 했으면 얼마나 지랄 맞은 년이었는지 내가 안 봐도 알겠다. 할미가 가서 그년 머리채 잡아줘?

 물론 할머니가 그 애 머리채를 잡으러 학교에 출동하는 일은 없었다. 이렇게 나에게 자상한 이 여자가, 나의 엄마를 그렇게 평생동안 괴롭힌 여자라는 게 가끔씩 몹시 미워진다. 거짓말이다. 아무리 노력해도 좁쌀 한 알만큼도 안 미워진다. 그냥 슬플 뿐이다. 황태심. 큰마음이라는 뜻의 이름을 가진, 나에게는 진짜 큰마음 그 자체였던 여자.

할머니에게, 누군가의 아내가 되고, 그래서 누군가의 며느리가 되는 바람에 시집살이를 당하고, 그 구박을 다시 자기 며느리에게 되갚아주는 일생을 사는 대신, 다른 일을 해볼 기회가 있었다면 어땠을까.

그냥 여자사람으로 살 선택지가 그녀에게 있었더라면.

성격도 드세고 나쁜 쪽으로 머리도 좋아서 기회만 있었다면 〈킬링 이브〉의 빌라넬 찜쩌먹는 섹시하고 멋진 살인청부업자가 될 수 있었을지도 모르는데.

그녀도 인생에서 많은 것을 바랐는데 다른 사람들이 그 여자는 그럴 자격이 없다고 믿게 한 것은 아닐까. 그래서 자기에게 내던져진 찌꺼기에 만족하자고 스스로를 다독이고 감사하는 마음으로 찌꺼기를 삼키다가… 비뚤어져 버린 것은 아닐까. 나는 자꾸만 그런 생각이 든다.

내 귀에 드센 년

 참 신기하게도, 난 그 어릴 때부터 과일 깎고 싶은 마음이 들었던 적이 단 한 번도 없었다. 사실, 과일을 깎는다는 것 자체가 처음부터 싫은 것은 아니었다.

 하지만 먹을 사람 따로 있고, 깎는 사람 따로 있는 것. 과일 깎는 사람을 당연하게 취급하고, 과일 깎는 사람은 과일을 깎는 동안 대화에 제대로 끼거나 TV를 못 보는 것. 또 과일을 깎느라 과즙 묻은 손을 또 씻고 와야 하는 번거로움, 과일 깎은 쟁반을 치우는 것 역시 먹은 사람이 아니라 과일 깎는 사람이라는 상황 등은 그것을 하기 싫게 만들기 충분했다.

 짧은 시간이지만 자신의 시간을 할애하고 집중력을 발휘하는 일인데, 그게 비록 한 줌의 시간이라 할지라도, 과일 깎는 사람은 자신의 행동과 시간을 매번, 영원히 보상받지 못한다는 생각이 들었다. 그렇게, 말없이 과일을 깎는 여자의 모습은 나에게 되고 싶지 않은 모습 중 하나가 되었다.

중학생 시절, (친하지도 않은) 친척어른이 '사과 한번 깎아볼래?'라고 시킨 적이 있었다. 나는 과일 깎기가 원래도 싫었는데 그 어른이 시켜서 더 싫은 것도 있었다. 겨우 10대 중반인 나한테 '이제 다 컸네, 시집가도 되겠어.'라고 하는데 10대에게 시집 운운한 것도 불쾌하고, 키도 아직 다 안 커서 성장하는 중인데 다 크긴 뭐가 다 커.

"저 아직 다 안 컸는데. 집에서 깎아보려고 했는데 손이 작아서 아직 잘 못 깎더라고요."

나는, '나의 다 안 컸음'을 강조하며 계속 할머니 옆에 꼭 붙어서 TV 보는 척을 하며 사과 깎기를 피해 할머니와 소곤소곤 대화를 나누기 시작했다.

"할머니, 난 과일 깎는 거 싫어."
"싫으면 안 하면 되지. 누가 말려."
"근데 저 어른이 시키잖아."
"시킨다고 다 하나? 하기 싫으면 안 하는 거지."
"그래도 돼?"
"암, 그래도 되지."
"근데 나중 돼서 다른 여자애들은 다 깎는데, 나만 안 깎아 봐서 못 깎으면 어떡해? 깎기 싫어서 안 깎다, 나중에 혼자 드센년 소리 들으면?"

할머니는 아직 덜 자란 내 머리를 쓰다듬으며 말했다.

"드센 년이면 어떻고, 안 드센 년이면 어때, 니가 되고 싶은 거
되면 되지."
"그러다 남자들이 싫어하면?"

10대 중반의 여자아이에게 남자들의 불호와 냉대는 너무 잔인
한 일이었으므로 마치 인류 최후의 질문처럼 진지하게 물었는데
할머니가 피식 웃으며 대답했다.

"너 싫어하는 놈 있으면 다른 놈 만나면 되지. 그 다른 놈이 또
싫다고 한다? 그럼 또 다른 놈."
"어떻게 그런 식으로 계속 만나, 세상 헤프게."
"우리 손주, 얼마나 예쁜지 세상 사람들 많이 알수록 좋지 뭐."
"에? 난 남자 그렇게 많이 만나고 싶지 않은데?(할미, 이 말은
취소할게. 그렇게 됐어요.)"

할머니가 갑자기 나를 꼭 끌어안았다가 놔주며 말했다.

"근데 할미는 우리 손주 드센 년이면 좋겠는데."
"왜?"

할머니가 비밀을 알려준다는 듯 귀에다 속삭였다.

"사실은 할미가~ 드센 년이에요."

*

몇 년 전, 연예인 부부의 결혼 관찰 예능 프로그램에서 게스트들이 어떤 상황을 보고 코멘트 하는 장면이었다.

오랜 경력의 40대 여자 방송인이 적절하면서도 재치 있고 센스 넘치게 이야기를 해서 주변 게스트 모두 감탄하고 있는데, 아빠가 TV를 보다 한숨을 쉬며 이렇게 중얼거렸다.

"아빠는, 드센 년들이 그렇게 싫더라."

그때, 돌아가신 할미가 호호 웃으며 내 귀에 속삭이는 것이 들렸다.

'할미가~ 드센 년이에요. 그래서 할미는~ 우리 손주 드센 년이면 좋겠어.'

도망가자

내가 다정하지 않은 내 성격에 대해 계속해서 이야기를 하는 건, 혹시라도 예전처럼 다정하고 공감능력이 뛰어나던 어린 시절의 나로 돌아가고 싶지 않기 때문이다. 나는 다정하고 상냥하고 공감능력이 뛰어났는데 그런 내 공감능력으로 내가 위험에 빠질 줄 상상조차 하지 못했다.

*

헤어진 후, 전 남자친구(이자 스토커)가 말도 없이 아파트 지하 주차장 앞에서 나를 기다린 적이 있었다.

처음도 아니었다. 다시 잘 얘기를 해보자는 게 그의 요지였는데, 문제의 그날 나는 일도 늦게 마친데다 PMS여서 굉장히 피곤했다. 최대한 이성적으로 오늘은 대화하기 피곤하니 다음에 얘기하자고 그를 돌려보내려고 하자, 그가 저번에도 내려오라니까 안 내려와서 아예 기다린 건데, 니가 말하는 다음이 도대체 언제냐고 따졌다.

"니가 무슨 대기업 회장님이야? 약속 잡고 와야 돼?"

이미 헤어졌고, 헤어진 이유에 이것도 있었는지는 모르겠지만, 이 친구를 다시 만날 생각이 전혀 안 들었던 (수)많은 이유 중 하나는, 이 친구의 이런 극단적인 대화 방식이었다.

대기업 회장님이 아니라도, 사람 대 사람끼리 서로 약속을 잡고 만나는 게 사회인의 기본자세인데, 대기업 회장님 미만이면 다 닥치고 약속 없이도 상대방이 만나자고 하면 만나야 한다는 식의 이런 무례한 압박.

이런 내 생각을 말로 하진 않았지만, 내가 내 방까지 붙들고 가려던 피로하지만 이성적이고 평온한 사회인의 표정은, 그의 말로 인해 더해진 피로감 때문에 더 이상 유지할 수가 없었다. 내 얼굴에는 짜증난 표정이 올라오고 있을 것이었다. 그냥 솔직하게 얘기했다.

"후, 다음에 얘기하자. 나 PMS야."
"그게 뭐? 맨날 이런 식으로 할래?"

그래, 맨날 이런 식으로 할 거니까, 이런 나 만나지 말고 다른 애 만나라고, 이 스토커 새끼야, 라고 말하고 싶었지만 내 유교정신과 사회성이 공격적인 마음을 꾹 눌렀다. 김시은, 넌 사회화된 인 간이야. 욕은 안 돼. 내일이나, 모레. 진짜 연락할게. 하고 가려는 데 그가 팔을 붙잡아 돌려세우더니, 양어깨를 누르듯이 붙잡았 다.

"야, 너 그냥 지금 이 상황 피하려고 하는 거잖아."

들켰네. 사실 연락 안 할 생각이었는데.

만난 기간이 있다 보니 행동 패턴이 읽히나 보다. 근데 이렇게 갑 자기 찾아오는 방식으로 다섯 번쯤 참고 대화해줬으면 피하고 싶 은 내 마음도 좀 이해해줘야 아닌가.

내가 이 손 기분 나쁘니까, 손 떼라고 했지만 그는 손을 떼지 않 았다. 아프지는 않았다. 아플 정도로 세게 잡고 있는 건 아니었 다. 그럼에도 그의 악력은 내가 도망칠 수는 없는 정도로는 충분 했고, 어깨를 누르고 있는 그 손은, 그대로 조이면 목도 조를 수 있겠다 싶은 각도였다. 나는 차라리 한 대 맞고 경찰에 신고할까 싶은 생각이 들었지만, 바로 다음 순간, '싫어! 내가 왜 맞아. 씨발 존나 맞기 싫어!'라는 생각이 들었다.

그때, 내 눈과 지하 주차장 CCTV의 렌즈가 마주쳤다. 마치 CCTV가 '내가 지켜줄게, 내가 여기 있어.' 하는 것처럼.

CCTV 덕분에 마음이 든든해진 나는 짜증스러웠던 마음도 내려 놓고, 정말이지 평온해진 마음으로 그에게 말했다.

"…니 등 뒤에 CCTV 있어서 다 찍히고 있는데, 한 대 때릴래?
그럼 경찰서 가기도 쉬울 거 같고."

전 남자친구(이자 스토커)는 손을 떼며 펄쩍 뛰었다. 진심 내가 그럴 놈으로 보이냐며(지금까지 내내 그런 놈이었는데), 쪼그만 게 때릴 데가 어딨냐고 널 때리겠냐(너랑 4cm 차이인데 매번 되게 키 큰 것처럼 말하더라)며 뒤로 한걸음 물러나기까지 했다.

그는, 나를 좋아하는 마음이 커서 그런 것 같다고, 너처럼 자기 상황을 이해해주고(이전 연애에서 그의 불우한 가정사를 듣고 나면 가까운 시일에 헤어지자고 한 경우가 몇 번 있었는데, 자신의 이야기를 듣고 헤어지자고 하지 않고 오히려 위로해준 따스한 여자가 내가 처음이었다고 한다. 하지만 내가 직접 겪고 종합적으로 판단해봤을 때, 단순히 가정사 때문이 아니라, 상대방을 강하게 통제하려는 습관, 극단적인 방식으로 사용하는 언어의 무례함, 자신만의 이유로 하지 않는 연락 등 다양하고 복잡한 이유가 있었을 거라는 게 내 생각이다), 다정하게 받아준 사람이 없어서, 그래서 나를 놓칠까 봐, 자기 마음이 너무 급한 나머지 널 너무 압박한 것 같다며, 좋아해서 그런 거라고, 헤어지기로 한 거 제발 다시 생각해 달라고, 행복했던 예전으로 돌아가자며 편할 때 연락 달라고 했다.

다시 생각하고 말 게 없었다. 나는 그 날을 기점으로 '진짜' 서울로 갈 준비를 하기 시작했다. 나는 그처럼 자신의 안쓰러움을 어필하며, 사랑에 눈먼 애절한 사랑꾼처럼 굴다가, 결혼한 후 신혼 초부터 아내를 개처럼 패기 시작한 남자를 알고 있었다. 이모부였다.

이모는 너 아니면 죽겠다고 하는 이모부와 결혼했다.

외할머니의 가게에 불쑥불쑥 결혼시켜달라고 찾아오기도 하고, 이모에게 구애하는 다른 남자들과 주먹다짐을 벌이기도 하고, 다른 놈한테 시집가면 진짜 자기가 어떻게 할지 모른다고 협박 섞인 구애를 했다고 한다. 1970년대 중반이었다.

2010년대 초반까지도 '한 여자만을 죽자 사자 쫓아다니는 남자'를 로맨틱한 이미지로 봐주는 분위기가 꽤 커서, 내가 직장 동료들에게 이 스토커에 대한 고민을 이야기하자 한 동료가 '시은씨, 사랑받는 거 티내는 타입이구나.' 라고 비아냥거렸다. 그렇게 꼭 티를 내야겠냐며. 그 말을 한 동료의 공감능력이 현저히 낮은 탓도 있지만(어딜 가나 꼭 한 명 있다) 폭력적 구애에 진지하지 않은 사회적 분위기가 분명 있었다.

이모도 그 당시 이모부의 방식이 좋지는 않았지만 그땐 이게 남자다운 방식이라는 분위기였다고 한다. 거기까지 들었을 때는 '옛날 사람이셔서 이모부 살짝 좀 무례했네.' 정도로만 생각했다. 하지만

… 이모부는 그렇게 죽자 사자 쫓아다녔던 이모와 결혼한 후 이모를 팼다. 이모도 자세히 이야기해주지는 않았으나, 결혼 초 시작한 이모부의 사업 실패로 인해 이모부의 성격이 난폭해졌고 조그만 잔소리에도 주먹을 휘두르곤 했다는 정도만 들을 수 있었다. 아무도 이런 가정의 어두운 부분에 대해서 자세히 얘기하려고 하지 않아 나도 다 크고 나서, 우연히 듣게 되었다.

나는 사촌 오빠들에게, 오빠들도 이모가 맞았던 거 알고 있었냐고 물었다. 물론 그들도 알고 있었다. 그들도 맞았으니까. 아내 때리는 사람이 자식 안 때리는 경우는 흔치 않았다.

하지만 이 불행 속에서 가장 빌런은, 외할머니 정숙 씨였다. 좋은 사람이 모든 사람에게 좋은 사람일 수는 없다는 그 말을 가장 아프게 와 닿게 한 사람. 이렇게 맞다 죽을 것 같다고 느낀 20대 후반의 이모가 정숙 씨에게 이혼하고 싶다고 하자, 무슨 이혼이냐고, 시간 지나면 나아질 거라고 이모부를 불러 달랬다고 한다. 내 딸, 부족하더라도 끝까지 잘 데리고 살아달라고.

나는 이모의 고통을 짐작해보곤 했다. 한번 매이면 모든 것이 얽혀버리는 결혼이라는 법적 관계 안에서 폭력을 당하는 여자, 그리고 그런 딸을 부족하다며 잘 데리고 살아달라고 부탁하는 여자의 엄마. 이모는 무슨 마음으로 그 긴 시간을 살아낼 수 있었을까.

길게 생각할 시간이 없었다. 나는 위급 상황이었다. 스토커가 폭력을 휘두르진 않았지만, 그게 CCTV를 염두에 둔 연기인지 진심인지 알 수 없다. 물론 알고 싶지도, 중요하지도 않다. 눈앞의 갈색 덩어리가 된장일 가능성을 위해, 똥인지 된장인지 찍어 맛볼 생각은 없다. 내 기준엔 똥인 것 같으면, 똥인 거다.

나는 어서 빨리 도망갈 준비를 해야 했다.

원해서 하는 거 아니야

 TVING 오리지널드라마 〈술꾼도시여자들〉 시즌 2에는 요가수
련원을 운영하는 김선정(유인영)이라는 캐릭터가 나온다.

 그녀가 10대였을 때, 선정은 남동생인 선국의 재능을 질투해 동
생이 나가려고 했던 영재 올림피아드 티켓을 망가뜨리고, 그로
인해 두 사람의 관계도 망가지고 만다.

                                    *

 극중 상황을 보면 두 남매의 집이 여유가 있는 집 같은데 부모님
도 너무 하시지, 굳이 또 사이 나쁜 누나와 남동생을 한 집에 살
게 한다.

부모님들이 누나와 남동생을 함께 살게 하는 이유의 98%는
'니 동생 밥 좀 챙겨줘라.'이다. 안 그런다고 해도 남동생들 안 굶어
죽는데 내 주변의 남동생 있는 장녀들은 100% 그 이유로 함께 살
고 있었다. 둘 중 한 명이 시집, 장가가기 전까지 말이다.

 그 놈의 밥.

 선국의 생일이 되자 부모님은 선국이 아닌 선정에게 선국과 밥
을 먹자고 연락을 한다. 선정은 선국에게 시간과 장소, 괜찮냐고
물어보지만 선국은 이리저리 말을 돌리며 사람 빡치게 하다가,
사실 다같이 모여서 밥 먹는 거 별로 하고 싶지 않다고 말하고 선
정은 그런 선국을 달래보려다가 때려치우고 만다.

"그냥, 부모님한테 니가 밥 먹기 싫다고 그랬다고 말할게."

 그러다 갑자기 분통을 터뜨린다. 너는 열이면 열 번을 다 니 맘대
로 하고 사느냐고. 니가 사람 새끼면 한 개 정도는 맞추고 살려는
시늉이라도 해야 하는 거 아니냐고.

 선국이 말한다. 그거 다 니가 원해서 그런 거 아니었어?

*

 이걸 어디서부터 어떻게 말을 해야 할까. 장녀들이 하는 집안 대소
사 중에, 장녀가 원해서 하는 일은 없다(고 저는 생각합니다).

 잡다한 집안 대소사를 맡고 싶어 하는 장녀는 적어도 내 주변엔

없다. 얼마나 신경 쓰이고, 또 티 안 나는 일인가. 그래도 부모님이 시키니까, 그래도 젊은 내가 하자 싶은 마음에 하는 것이다.

 어쩌다가 장녀는 이렇게 하기 싫은 일을, 하고 싶어서 하는 것처럼 되었을까. 짐작해보건태 장녀들이 어린 시절 했던 작은 행동 하나하나에 받았던 칭찬들 때문이다. 우리는 그때처럼 계속 어른들의 기대를 충족시켜 주고 칭찬받고 싶은 것이다. 그들의 칭찬, 웃는 얼굴, 기대, 인정, 이런 거.

 그러다 보면 어느새 어른들의 칭찬, 웃는 얼굴, 인정 같은 것들은 사라지고 일거리만 뒤치다꺼리처럼 남아, 마치 장녀의 업무인 것처럼 되어버린다.

 그냥, 그렇다고.

안녕히 가세요

 나는 장남인 아버지의 첫 아이로 태어난 딸이다. 이 책에서 나는 '장녀의 설움'에 관한 이야기들을 했지만 그나마 다행이라면, 나는 장남인 아버지의 첫 자식으로서, 그러니까 집안의 퍼스트 베이비로서의 사랑은 받았다.

 비록 얼마 뒤 아들이 태어나면서 남동생보다 못한 처우를 받았지만 다행히 할머니와 몇몇 어른들은 계속해서 남동생보다 나를 더 예뻐해 주셨다.

 '어른들의 칭찬과 인정'을 지속적으로 받기 위해 어렸던 내가 한 생각 중에 가장 놀라운 것은 내 결혼관이다.

 나는 아주 어린 시절부터

1.결혼할 나이가 되면,
2.그냥 적당한 남자 만나서,
3.그 남자가 마음에 안 들어도,
4.웬만하면 결혼을 해서
5.장녀로서 부모님의 숙제를 덜어드려야지

하는 생각을 했다.

보수적인 경상도 집안의 첫째 딸로 태어나서 그런지 비슷한 형편의 남자와 결혼해서 시부모님 잘 모시고 제사 잘 챙기는 그런 며느리로 살아야지 하는 생각이 있었다.

좋은 직업의 남편을 꿈꾼다거나, 남편이 돈을 많이 벌어야 한다거나 하는 것은 생각도 하지 않았다(지금 생각하니 정말 안일한 결혼관이다). '그냥 적당한 남자와의 결혼'이 내가 (주입받은) 원하는 모습이었다.

*

비슷한 맥락의 일은 중, 고등학교 때도 있었다. 나는 십자수가 전혀 하고 싶지 않은데 여성스러운 여자아이는 십자수 같은 게 취미여야 한다고 해서, 지금의 나로선 납득이 가지 않지만 20년 전의 나는 성실하게 액자에 걸 만큼 크고 시간이 오래 걸리는 십자수를 완성했다.

나는 살면서 한 번도 소위 전통적 의미의 '여성스러운 성격'인 적이 없었고 그렇게 되고 싶지도 않았다. 그럼에도 십자수를 했다.

'여성스러운 여자아이'라는 틀에 나를 끼워 맞추고 싶었다. 이유는 한 가지였다. 어른들의 칭찬과 인정.

*

나는 낭만을 따지는 성격이 아니었고 결혼은 멜로가 아니라고 생각했지만 그와 별개로 결혼이란 것을 안 하면 큰일 나는 줄 알았다. 결혼이 인생의 목표라서가 아니라, 그냥 내가 정한 1~5의 항목들을 이루어야 어른들의 인정을 받을 수 있는데 그러지 못할까봐.

그런 생각을 강하게 하던 때, 어떤 남자와 연애를 하게 되었는데, 문제는 그가 원하는 아내의 도리였다. 그의 결혼관은 이러했다.

1.내 여자는 직업을 가지지 않았으면 좋겠다.
2.내 여자는 내 퇴근시간에 맞춰 매일 저녁을 차렸으면 좋겠다.
3.내 여자는 아이를 낳았으면 좋겠다.
4.육아/집안일은 여자일.
5.우리 집은 육아 도와줄 사람이 없다. 그래도 애는 낳아야 한다. 낳으면 알아서 크더라.

잘못 걸렸다. 사람이 자신의 내밀한 가치관을 드러내는 건 친밀해지고 나서인데 사귀기 전에는 친밀하지 않으니, 어떤 가치관의 사람인지 알 수가 없다.

그가 요구하는 아내의 삶이 지금 기준으로 보면 거의 하녀에 가까운 삶이라는 걸, 그래서 니가 잘못된 가치관을 가지고 있다는 것을 어디서부터 어떻게 설명할 수 있을까(설명할 수 없었다).
그래도 이 친구 덕분에 절대 결혼은 꼭 해야 하는 것이 아니구나,
라고 생각하게 되었다.

 심지어 그는 종종 평강공주를 들먹이며 그녀야말로 이 시대의
이상적인 여성상이라며 너도 자신에게 그래주길 바란다고 했다.

 아, 네. 안녕히 가세요.

버려진 딸들의 세계

"그럼에도 불구하고 난 엄마의 사랑을 원해."

지연의 엄마는 그녀가 7살일 때 집을 떠났다고 했다.

나중에 스무살이 넘어 엄마를 찾아간 지연이가 들은 바에 의하면, 어머니로서는 부부 사이를 정리하는 서류 정리를 끝내고, 나가겠다고 한 날에 나간 것이었다고 한다.

하지만 이혼이니 뭐니 하는 일을 전혀 알지 못했고, 이혼이라는 어른들의 일에 대해 설명해주는 이 없었던 지연으로서는 유치원 마치고 집에 와보니, 엄마가 없었다. 아무것도 알 수 없었고, 아무것도 할 수 없었던 지연이 엄마 어딨냐고 묻자 지연의 할머니와 아빠는 말했다. 엄마와 아빠는 헤어졌고, 그래서 엄마는 이제 영원히 오지 않을 거라고.

 그녀는 애정결핍이었고, 사람을 달고 살았다. 그녀는 도저히 제어하지 못할 정도로 외로워서, 라고 했다. 그녀는 5년이 넘게 만나는 남자친구가 있었지만 끊임없이 새로운 사람을 찾았다. 사랑받는 느낌이 줄어들면 불안하다고, 그게 줄어든 만큼 채워줄 사람이 필요하다고 했다.

 어느 주말, 나는 엄마와 백화점에 갔다가 함께 사진을 찍었다. 지연은 엄마와 나의 투샷을 보고는 어머니 미인이시네(실제로 엄청난 미인이시다), 하고는 한숨 쉬듯 "엄마 있는 애들 부러워."라고 말했다. 그녀는 아주 힘겹게 노력해서 5년 전 겨우 엄마를 찾아 연락을 하고 지내고 있었는데, 이혼 안한 부모 밑에서 자란 (나같은)사람들을 '엄마 있는 애들'이라고 지칭했다. 부모님이 이혼하지 않아서 내가 그녀보다 더 나은 삶을 살았던 걸까. 우리는 그때 28살이었다. 많은 나이는 아니지만, 그렇다고 애들이라고 지칭되긴 좀 그런 나이.

 엄마와 데이트를 하긴 했지만 엄마의 감정 쓰레기통을 하고 있던 그 시기.

 그 시기, 엄마와 백화점에서 데이트를 하고 있으면 어떤 아줌마가 다가와 보기 너무 좋아서 그런다면서, 자기가 좋은 총각 아는데 소개받아볼 생각이 있는지 물어보는 일이 몇 번 있었다. 최소한 나는 그때 행복의 시간과 불행의 시간을 오가고 있었고, 사실 개인적으로는 불행을 느끼는 시간이 좀 더 길고 깊었는데도, 겉으로 보기엔, 행복한 모녀 수행을 나름 잘 하고 있었던 것이다.

엄마가 떠나버린 딸에게, 엄마의 감정쓰레기통을 하는 딸의 말이 위로가 될까. 내 삶이 그녀의 삶보다 나은 게 맞을까. 솔직히 모르겠다. 나를 자신의 감정쓰레기통으로 쓰긴 하지만, 어쨌거나 나는 엄마가 옆에 있었다.

내가 한숨을 쉬며 말했다. 진짜 한숨 쉬는 거 싫은데, 의도적으로 진짜 한숨 안 쉬려고 하는데, 어쩔 수 없이 한숨이 나왔다.

"평범한 정상가족의 엄마와 딸의 관계도 니가 생각하는 그런 따뜻한 느낌은 아니야."

내가 '사진 속 우리'를 부러워하는 그녀에게 평범한 정상가족 속 엄마의 모습을 말해주었다.
부러워할 거 없다고, 우리엄마, 열 받으면 앞 뒤 안 가리고 나한테 씨발년, 쌍년, 욕해. 엄청 자주 있는 일은 아니었지만.

그뿐이게. 10대 때 갈등 심할 때는 이렇게 말 안 들을 거면, 나가 죽으라고(정확한 워딩은 죽어가 아니라 '뒈져.' 였다), 내가 어떻게, 딸한테 그런 말을 할 수 있냐고, 돈만 모으면 바로 나가 살 거라 하면, 지금 나가 보라고, 배운 게 없어서 일다운 일도 못 하는 게, 부모 덕에 따순 밥 먹고 등 따시게 사는 주제에 까분다고, 말 안 들을 거면 당장 밖에 나가 몸 팔면서 한번 살아보라고 한 적도 있다고.

외출 하면 풍경 좋은 곳에서 사이좋아 보이는 모녀 사진을 찍지만 딱히 행복하지는 않다고, 그렇다고 엄청 불행하고 그런 것도 아니라고. 그냥 다 사회생활의 연장 같다고.

엄마가 화가 나면 뇌를 거치지 않고 입에서 나오는 대로 서슴지 않고 욕을 한다는 말에, 지연이는 전혀 그럴 분으로 안 보인다고 했다(남자든 여자든 실제 안 좋은 모습 그대로 사진에 노출되는 사람은 몽타주 속 인물 외에는 없어). 나도 알아, 그래서 더 속상해. 저 아름다운 얼굴로 나에게 욕을 한다는 게.

그 때의 나로부터 딱 14년을 더 살아본 28살의 나는, 엄마를 좋아하진 않지만 최소한 엄마가 나한테 만이라도 기댈 수 있게 해야 할 것 같아서, 아무리 힘들어도 내가 안 받아주면 도대체 누가 받아주나 싶은 생각에 엄마랑 가깝게 지낼 뿐, 솔직히 행복하지 않다고 지연에게 말했다. 그리고 이런 미친 말은 나만 듣고 산 게 아니라고, 딸들은 10명 중 8명은 디테일은 달라도 엄마에게 욕을 들은 경험이 있다고.

그러니 네가 상상하고 바라는 '무한히 다정하고 자식을 1순위로 생각하는 엄마', '위대한 모성애로 가득 찬 엄마' 같은 건 없다고 말해주자 지연이 말했다.

"평생 같이 살았어도 딸을 감정쓰레기통으로 쓰는구나."
떨어져 있다가 만나서, 애틋하게 쌓인 추억이 없어서 자신만 이렇게 엄마 감정 쓰레기통 하는 줄 알았다고. 그녀 역시 어머니로부터 험난한 가스라이팅을 받아내고 있었다.

나도 엄마가 다 이해돼서 엄마 감정 쓰레기통 하는 건 아닌데, 그녀는 조용히 술잔을 만지작거리다가 중얼거리듯 말했다.

"그럼에도 불구하고, 그렇게 해서라도 난 엄마의 사랑을 원해."

중국 민담에 보면 한 선비가 과거를 보러 가는 길에 웅덩이에서 펄떡거리는 물고기 한 마리를 만나는 얘기가 나온다.

물고기가 선비에게 말을 건다. 살려달라고. 조금만 가면 호수가 있는데 거기에 던져달라고. 아니면 한 바가지의 물만이라도 구해줄 수 없겠느냐고. 선비가 대답한다.

"미안한데 내가 급해서 지금은 네 말대로 해줄 수가 없구나. 대신에 돌아오는 길에 잊지 않고 꼭 구해줄 테니 걱정 말아라."

물고기는 말한다. 나를 구하는 것은 거대한 바다가 아니라 지금 당장 물 한 바가지가 필요한 것이라고. 그게 어려운 일이냐고. 그런데도 선비는 나중에 찾아와 바다로 보내주겠다고 말하며 이야기는 끝난다.

*

민담 속 물고기는 아마 얼마 후 죽었을 것이다.

서울에 올라온 뒤로 나는 엄마가 아무리 속 긁는 소리를 해도 아무리 나를 감정쓰레기통으로 사용해도 절대 싸우지 않았다. 그래, 멀리 있는데 이런 감정이라도 받아드리자 하는 생각을 하며 버텼다. 집에 가면 항상 긴장해야 했다. 아슬아슬했다.

그녀를 상대하는 건 내가 갖고 있는 양의 인내심보다 더 많은 인

148

내심을 사용하는 일이었기 때문이었다. 나는 내가 폭발할까봐 무서워서 매초마다 긴장의 끈을 틀어쥐고 있어야 했다.

나의 고통을 외면했던 엄마에게 친절하기 위해서는, 내가 지인이나 직장 동료들을 대할 때 쓰는 에너지보다 훨씬 더 큰 에너지가 필요했다. 긴장의 연속이었다. 조금이라도 덜 집중하면 급발진하게 될 것만 같았다. 부모님이 사시면 얼마나 사시겠어. 20년만 효도하자, 내 나이 50세쯤 그때쯤 연락 끊자, 그때는 뭐 나도 내 가정 갖고 있겠지, 조금만, 조금만 더 버티자.

지연은 우여곡절 끝에 찾았던 엄마와 사이좋게 지내기 위해 애썼지만 결국 몇 달 뒤에 또 엉망진창으로 다투고 연락 끊었다고 말했다. 그러다 며칠 후 다시 연락을 하고 지낸다고 했다. 그녀의 표현에 따르자면, 진흙탕 싸움도 이런 진흙탕 싸움이 없다고 했다.

엄마는 엄마대로 결혼을 하고 지연을 낳으면서 겪어야 했던 커리어의 단절, 사회적 단절을 겪은 자신의 고통과 입장을 이야기하느라, 지연은 어린 시절 버려진 자신의 기분을 이야기하느라, 그렇게 서로의 상처에서 한 발도 양보하지 않는다고 했다.

"지긋지긋해. 짜증나는 구남친놈이랑 계속 싸웠다 만났다 하는, 그런 느낌이야. 엄마가 겪은 고통? 알겠어. 알겠는데, 그래도 내 편 들어줬으면 좋겠어. 맨날. 만날 때마다. **고생했다고, 불쌍한 내 딸 힘들었지**, 이래줬으면 좋겠어. 엄마가 힘들었던 거랑 별개로 나 좀 안쓰러워 해주면 안 되나? 그걸 절대 안 해줘. 안쓰러워 해주는 게 그렇게 힘들 일인가? 자기 딸인데? 어린 시절, 내가 그렇게 오랜 시간 엄마를 찾고 그리워했었는데?"

몇 년이 흐른 지금은, 어떻게 지내고 있는지 모르겠다.

*

나는 이제 어머니와 3년 반째 연락을 하지 않는다. 어린 우리가 원한 건 물 한 바가지의 사랑이었는데.

'그럼에도 불구하고, 엄마의 사랑을 원한다.'고 했던 그녀가 가끔씩 생각난다. 최소한 나한테 만이라도 존중받아야 한다고 말하며 엄마의 불쾌한 감정을 고스란히 받아내던 그 시절의 나도.

그땐 몰랐지만, 엄마한테 사랑받고 싶었던 마음은 서서히 말라 죽어가고 있었던 것이다. 최선을 다해 선비에게 매달렸지만, 늦지 않게 물을 만나지 못한 물고기처럼.

별로인 어른이 되어가는 중

 10, 20대 때 30, 40대의 삶이 무척 걱정되었다. 내가 30대쯤 되었을 때 어떤 일을 할지 어떤 위치에 있을지 대입해 볼만한 여자어른이 별로 없어서였다. 일하는 여자어른이 되고 싶었다.

 생물학적 여자어른은 있었지만 사회경제적 여자어른은 없고 오로지 '엄마'역할만 수행하는 여자어른들 뿐이었다.

 말하자면 82년생 김지영들로만 이루어진 세상이었다. 내 주변에 있는 30, 40대 여성은 모두 엄마의 역할 말고는 하고 있지 않았다. 내가 본 내 엄마 모습으로는, 엄마 포지션은 끝없는 고난의 연속 같았다. 나는 그 나이에도 일하고 싶은데, 일하는 여자어른은 왜 안 보이는 거지?

 그렇게 일하는 여자어른이 되고 싶다고 했으면서 지금 나는 가끔 돈 있으면 되도록 일을 안 하는 그냥 여자어른이 되었다.

 매번 2-3년 일을 하다 퇴사하고, 회사 퇴직금과 그동안 모은 돈을 까먹고 나면 다시 일을 하지만 여윳돈이 있으면 일을 안 하고 만다. 나름대로 최선을 다해 살았는데, 딱히 더 성숙한 인간이 된 것 같지가 않다.

 무엇보다 30대 후반이면 20대 때보다는 더 체계가 잡힌 삶을 살 줄 알았는데 꼭 그렇지도 않다. 어쨌거나 어른이 된 것만은 확신한다. 나는 2-3년 전까지만 해도 내가 어른 같지가 않았다. 36세는 어른이 아닐 수가 없는 나이인데도, 나는 내가 덜 자란 애 같았다.

 얼마 전에 엄마가 응급실에 다녀왔다는 연락을 사촌언니로부터 받았다. 예전엔 심장이 덜컥 했다. 하지만 이 일은 이제 일 년에 한두 번 있는 연례행사처럼 되어버렸다. 지금 엄마가 하는 일은, 할머니가 아빠를 핸들링할 때 하는 딱 그 패턴이다. 할머니도 진짜 아파서 아빠를 부른 것일 수도 있지만, 그러면서 오래오래 사셨던 것처럼 엄마도 진짜 아파서 나를 부른 것이겠지만 오래오래 사실 것이다.

 물론 내 추측과 다르게, 엄마는 진짜 어디가 안 좋고, 아프고, 그래서 서럽고, 그래서 사촌언니를 시켜 자신의 아픔을 나에게 알린 것일 수도 있겠지만, 어쩜 엄마는 자신이 미워하던 사람과 똑

같이 행동할까. 꼭 당신의 시어머니처럼.

 엄마랑 연락을 끊은 지 2년 쯤 되었을 때 저런 연락을 받았을 땐 엄마가 돌아가시면 어떡하지. 이렇게 불효막심하게 살고 있으면 안 되겠다, 부산에 내려가 얼굴 보여드리자, 연락도 다시 꼬박꼬박하자, 난 정말 나쁜 딸년이구나, 하는 생각이 들었다. 하지만 떠나려고 티켓을 알아보고 소지품을 챙기는데 갑자기 엄마를 만날 자신이 없었다.

 엄마를 만나고 돌아오면, 나는 매번 '이렇게 사는 게' 싫어서, 사는 게 싫다고 생각하는 밤이 길었다. 죽고 싶은 건 아닌데, 사는 게 싫어졌다.

*

 나는 엄마를 만나고 올 때마다 비참한테, 그 기분을 누르고 엄마와 가까이 지내면 아픈 엄마는 만족하실지 모르지만, 건강한 나는 죽고 싶다는 마음이 든다. 그런 마음을 감수하면서까지 엄마를 계속 만나야 하냐고 물으면 엄마도 그건 아니라고 너도 너대로 살아, 라고 해주셔야 하지 않을까.

153

엄마의 다정함은 온 우주를 다 뒤져도 없어
(feat.〈에브리띵 에브리웨어 올 앳 원스〉)

　얼마 전 엄마에게서 카톡이 왔다. 잘 지내느냐는 안부 문자도 없이 TV홈쇼핑 사진을 찍은 사진, 그리고 다가오는 자신의 생일에 이것을 선물로 보내달라는 메시지였다.

　순간적으로 내 생각회로는 이렇게 움직였다. 생신인데, 사드리자. 하지만 0.5초 뒤, 갑자기 화가 났다. 엄마, 우리 아직 화해 안 했어요. 아니 정확히는, 엄마 아직 나한테 사과 안 했어요, 그때 그 일.

*

　엄마가 동생에게 500만원을 주라고 말하기 전, 집에 내려갔을 때였다. 엄마가 부산역으로 데려다주며, 부산에는 언제쯤 다 정리해서 내려올 거냐는 말에, 아마 서울에서 쭉 살게 될 거라고 하자 엄마는 짜증을 내며 말했다.

"어휴, 아예 그냥 내 장례식에서 보던가, 니 장례식에서 보던가, 살아서, 다시 보지 말자."

지금 이게 서로의 장례식까지 운운할 일인가? 그동안 들은 욕들도 그렇다 칠 수 없었다. 하지만 아무리 화가 나도 할 말이 있고 안 할 말이 있지, 누구 한 사람 죽을 때 보자는 얘기를 이런 식으로 해도 되나? 듣자마자 이틀간 붙잡고 있던 이성의 끈이 끊어질 듯 했다. 너무 빡쳤다.

"엄마, 사과해. 어떻게 한 쪽 죽을 때 보잔 얘기를 해? 부산에 일할 만한 데도 없는데 무작정 내려오라고 하면 난 뭐 하고 살아? 일 안 해? 굶어죽어? 사과 안하면 진짜 두 번 다시 안 볼 거야. 사과해."

엄마가 가소롭다는 듯 말했다. 니까짓게, 내가 사과 안 하면 어쩔 건데? 엄마 말이 맞았다. 두 번 다시 안 보겠다고 으름장을 놨지만 결국 이후로 두 번을 더 내려갔다. 하지만 더 이상은 무리였다.

그 이후로 연락도 안 하고 4년 가까이 안 보고 있는 상태인데 지금 아무렇지 않게 선물 타령을 하신다구요.

엄마가 보낸 사진 속 그 물건은, 진짜 너무너무 갖고 싶거나 혹은 돈이 없어서 사달라고 할 정도의 물건은 아니었다. 엄마는 지금 나를 떠보는 것이다. 얘가 내 부탁을 들어주나 안 들어주나.

*

〈에브리띵 에브리웨어 올 앳 원스〉(이하 에에올)를 봤다. 돌멩이를 보고 울 줄이야.

영화관을 나오며 생각했다. 수많은 메타우주 속에서 에블린은 딸을 구하려고 하지만, 그럼에도 끝내 다정해지지는 않는구나. 엄마의 다정함은 온 우주를 다 뒤져도 없는 것일지도 모르겠구나. 아시아의 딸들은 모두 엄마의 다정함이 고파서 죽어버리고 싶을 정도로 정서적 기아 상태일지도 모르겠구나.

영화 속 '조부 투바키'는 조이 내면의 **'죽고 싶은 마음'**이다. 조이를 끝내버릴 **'나만 죽으면 다 해결될 것 같은 복잡하고 허무하고, 무엇보다 강렬한 마음.'**

20대를 지나온 평범한 여자라면 누구나 한번쯤 자기 안의 '조부 투바키'를 만나봤을 것이다. 못 느낄 수가 없다. 나의 가장 큰 세상인 엄마가, 계속 말하기 때문이다.

너는 도대체 왜 그러니, 너는 문제가 있어, 다 너 잘 되라고 하는 거야. 그 수많은 너는, 너는, 너는.

20대의 아시아 여성들은 어릴 때부터 가까운 이들에게서 유난히 외모 지적을 많이 당한다. 특히 엄마로부터.
나는 168cm의 키에 50kg 중반대의 몸무게로 날씬한 편이었지

156

만 평생 엄마로부터 살을 빼라는 지적, 혹은 조금만 더 빼야 예쁘겠다는 말을 평생 들어야 했다. 나는 물론이고, 심지어 타인이나 친척들이 보기에조차 나는 뚱뚱한 적이 없었고(하도 엄마가 살 빼라고 하길래 내가 뚱뚱하냐고, 만나는 사람들에게 다 물어봤다, 나 뚱뚱하냐고), 내 몸에 대해 어느 누구도 지적한 적이 없었는데도.

 내 몸무게가 50kg 중반이든, 60kg 초반이든 세상이 정한 표준 몸무게에서 벗어난 적이 없었는데도 엄마에게 나는 항상 뚱뚱한 딸이었다.

 나는 내 몸이 마음에 안 들었던 적이 한 번도 없었는데, 그리해서 내가 내 몸을 부끄러워하지 않고, 그래서 살 뺄 노력을 하지 않는 것(결국 버티다 못해 단식원에 한 번 들어가긴 했지만)을 엄마는 불쾌해했다. 게으르고 안일하다고. 단식원에도 군말 없이 들어갔으니 그 동안 내가 전혀 다이어트에 대한 노력을 하지 않았던 것은 아니지만, 엄마의 눈엔 그것조차 한없이 작은 노력이어서 만족스럽지 않았던 것이다.

 어렸을 때와 젊었을 때, 드라마틱할 정도로 큰 키에 마른 여자였던 엄마는 학생 때 교복을 맞추거나 의상실에서 옷을 맞추기 위해 신체사이즈를 재면 허리가 18인치, 19인치가 나오곤 해서, 재던 사람이 깜짝 놀라서 다시 확인을 한 일이 있었다는 얘기를 가끔 외가에 가면 무슨 무용담처럼 듣곤 했다.

 그래서 어느 정도 날씬한 딸이 아니라, 자신만큼 드라마틱할 정도로 마르고 예쁜 딸을 갖고 싶어 했다. 그런 엄마 욕심에 비하면 나는 뚱뚱한 여자애였던 것이다. 게다가, 뚱뚱한 주제에 살을 뺄 노력도 하지 않는 아이. 어리고 예쁘고 말랐던 자신의 젊은 시절을 말하는 엄마의 무용담을 들을 때면 반항심이 들곤 했다.

'그래서요? 그렇게 예쁘고 말랐어봤자, 결국 가난하고, 집안일 분담은 전혀 안 하는 남자 만나서 고생만 했으면서 이제 와 그게 다 무슨 소용이라는 거예요?'

*

〈에에올〉에서 에블린의 남편 웨이먼드는 생활력은 크게 없어 보이지만 다정함이라는 무기를 가지고 있다. 스스로도 그것을 자신의 생존 전략이라고 할 정도로, 그는 다정함의 힘을 알고 있다. 영화 중반에 웨이먼드가 적들에게 말한다. 자신이 아는 거라곤 다정해야 한다는 거라고. 그리고 에블린에게 한 번 더 말한다. 제발.. 다정함을 보여 달라고.

하지만 모든 우주를 겪고 돌아와도 에블린은 그리 다정해지지 않았다. 에블린은 조이가 데려온 벡키를 다짜고짜 아버지에게 조이 여자친구라고 소개한다. 마음의 준비 없이 아웃팅을 당한 조이가 이 상황이 어이없고, 제멋대로인 엄마가 너무 고통스러워 떠나려고 한다. 그러는 딸 조이를 붙잡겠다고 뛰어나가서 에블린이 한다는 말이 결국 또

"너 살쪘어."

메타우주를 돌고 와서도, 사실 원래 하려던 말은 그게 아니더

라도 우선은 그 말(너 살쪘어), 그 상처 주는 그 말을 하고 나서야 그녀는 본론을 말한다. 그래서 나는 조이가 다시 또 고통스러울 것이라는 예감이 든다. 그래서 조부 투바키가 다시 돌아올 것만 같다.

너 살쪘어, 이후 가족모임 기타 등등을 이야기하고, 그래도 너와 함께 하고 싶다고 하고, 영화 결말부에는 두 사람의 문제가 해결된 듯한 가족의 모습이 그려지지만, 나는 모녀의 엔딩이 해피엔딩 일 것 같지 않다.

에블린의 눈엔 조이가 항상 뚱뚱해 보일 것이고, 에블린이 진짜 마음은 그게 아니라고, 진짜 마음은 무슨 일이 있어도, 어떤 다중우주를 겪더라도 너를 지키는 게 엄마의 마음이라고, 또 가족이란 원래 그런 것이라고 말하고 싶었던 것 같은데 나는 수긍하고 싶지가 않다. 엄마는 딸에게 꼭 불쾌한 이야기를 한 마디 하고 나서야 본심을 말하는 존재이고, 딸들은 죽을 때까지 그런 엄마의 마음을 헤아리고 이해해줘야만 하는 존재인 걸까.

꼭 『아프니까, 청춘이다』를 되풀이하는 것 같다. 청춘은 꼭 아파야 하고, 엄마들은 꼭 그래야 하고, 딸들은 또 그걸 꼭 이해해줘야 하고. 싫다. 도대체 왜 그래야 하냐고 언제까지 이래야 하냐고 묻고 싶다.

3부

평화로운 부모님과 미친 딸

교통사고가 나면 운전자는 무의식적으로, 핸들을
운전자 반대방향으로 돌린다. 그래야 운전자 본인이 덜 다치니까.

그래서인지, 아빠는 우리 가족의 일상에 교통사고가 닥치면 항상
자신의 반대 방향으로 핸들을 돌렸다.
매번 아빠가 제일 적게 다치고 엄마와 내가 만신창이가 되었다.
그런데도 아빠는 아무 일 없다는 듯이
천진난만한 얼굴을 하고 있었다.

시뮬레이션의 밤

절대 용서 안 할 거야. 내가 당신을 용서 안 하는 이유는, 당신이 내 첫 가해자라는 걸 당신은 지금도 모르기 때문이야.

〈더 글로리〉, 동은이 엄마에게 하는 대사

*

 항상 엄마가 미웠다. 아주아주아주 오랜 시간. 그러면서 엄마에게 사랑받고 싶은 마음도 분명히 있었다. 시간이 흐르면서 사랑받고 싶은 마음은 옅어졌지만 엄마가 용서되지 않는 마음이 사라지지 않았다. 엄마에게 복수하고 싶은 마음이 오랜 시간 내 안의 찌꺼기처럼 달라붙어 있었고, 그 마음을 해소하기 위해 그녀를 비난하고 모욕하거나 폭행을 휘두르고 싶은 마음이 수시로, 아니 매일, 아니 매순간 들었다.

언제부턴가, 특히 자려고 누울 때면, 잠이 오지 않았다. 피가 끓어올라 나중에 언젠가 엄마 세게 한 대 때리고 만다, 생각했다. 뺨을 아주 세게 후려갈겨주고 싶었다, 내가 맞았던 횟수만큼. 진짜 언젠가 한 번 제대로 복수하고 만다, 제대로 욕을 퍼부어주고 만다, 하는 생각으로 새벽까지 잠이 안 오곤 했다.

불면의 밤, 내가 퍼붓고 싶은 모든 비난과 모든 욕과 모욕, 내가 휘두르고 싶은 수많은 폭력적인 행동들을 매일 밤 시뮬레이션했다. 폭력의 흐름이나 전개가 마음에 들지 않으면 시나리오 수정하듯, 수정하고 또 수정해서 다시 시뮬레이션했다. 꼼꼼하고 디테일하게 수정해서 수천 번 시뮬레이션했다. 그렇게 해놓고도 다음날이 되면 또다시 폭력의 시뮬레이션이 시작되었다. 매일 밤, 그렇게 수천 번의 시뮬레이션을 끝내야 겨우 잠들 수 있었다.

전쟁을 하는 군인들이 군사작전을 할 때 피해를 최소화하기 위해 엄청난 시뮬레이션을 한다는데, 나의 엄마 때리기 시뮬레이션도 그에 못지않은 시뮬레이션이었다. 군인들과 다르게, 나는 내 시뮬레이션을 결코 현실화하지 못하겠지만, 못할 것을 알기에 오히려 더 정교하고 훨씬 더 많은 시뮬레이션의 밤을 보냈을지도 모른다.

그렇게 격렬하고 패륜아스러운 밤을 보내면서, 그럼에도 불구하고 이 감정이 어딘가 바람직하지 못하다는 기분이 들었다. 잘못하고 있다는 생각이나 내가 나쁜 년이라는 생각은 아니었다. 난 생각만 했을 뿐, 아직 아무것도 하지 않았으니까.

원래 감정이라는 이 다채로운 것에는 옳고 그름이 없고, 내가

164

지금 바람직하지 못하다는 기분이 드는 건, 이 폭력적인 상상에 쾌감을 느끼기 때문이 아니었다.

 나는 내 마음 속 다채로운 감정들 중에서도 분노 덕분에, 나는 아주 강렬한 안도감, 그리고 쾌감을 느꼈다. 나는 분노라는 감정을 부정하거나, 없애고 싶은 생각이 전혀 들지 않는다. 분노 말고도 부정적인 감정을 하나하나 느끼면서, 하지만 행동으로 옮기지 않으려 노력하며, 평생 함께 할 생각이다.

 문제는, 분노의 쾌감과 안도감 외에 바람직하지 못하다는 기분이 존재하는데, 이 기분의 정체를 알 수 없어서 께름칙했다. 다행히, 시간이 지날수록 이 기분의 정체를 윤곽이나마 알 수 있었다.

*

 내가 께름칙했던 이유는, 나의 고통이 엄마 때문인 것은 맞는데 그렇다고 이게 '전부' 엄마 때문인 것만은 아니라는 걸 깨달았기 때문이었다. 문제는 엄마 말고 납득 가능한 이유나 납득 가능한 다른 사람을 떠올릴 수가 없었다. 분명 엄마 때문만은 아닌데.

 '엄마 탓이 아니면 누구 탓이지? 엄마도 분명 이렇게 된 배경이 있다는 걸 모르지 않는데. 그럼 엄마의 고통 배경을 알아야 하는 문제인가? 엄마를 이렇게 일그러지게 만든 사람이 누구지? 누군가를 통제하려 하고 끊임없이 굴복시키고 잔인하게 갖고 놀면서 쾌감을 느끼는 인간으로 변하게 한 사람. 아, 할머니인가? 할머니가 엄마에게 시집살이를 죽도록 시켰고, 그래서 엄마가 분노를 대물림해서 이렇게 된 건가?'

할머니가 엄마에게 악영향을 끼친 건 맞지만, 할머니는 여기 낄 자리가 아니었다. 그럼 도대체 누구지? 내가 엄마를 죽도록 미워하는 감정이 너무 가학적인 거 같고, 정당하지 않은 기분이 들게 하는, 이 기분의 밑바닥에는 도대체 뭐가 있는 거지?

나는 아주 뒤늦게 깨달았다. 내가 엄마를 미워하는 것이 찜찜하고 께름칙했던 이유, 사실 내 인생의 첫 가해자는 엄마가 아니었기 때문이었다.

정답은 가까이에 있었다. 내 인생의 첫 번째 가해자, 사람 좋고, 다정한, 그래서 나의 가해자에게마저 다정했던 아버지. 가해자에게 더 다정했던, 나의 아버지.

오래 전, 내가 작할 막내아들에게 성추행을 당했을 당시, 나는 아버지가 가해자라는 생각을 하지 못했다.

서른 살이 넘어서, 할머니 장례식장에서 그의 어깨에 친근하게 손을 올리는 아버지를 보면서도 아버지가 가해자라는 생각은 하지 못했었다. 하지만 그건 알았다.

'나는 용서하지 않았는데 아버지는 저 새끼를 용서했구나. 어쩌면 처음부터 내가 당한 일이 별 일 아니라고 생각했을 수도 있겠구나.'

그의 어깨에 손을 올리고 왔다는 사실 만으로도 나는 아버지와 말을 섞기가 싫은데 아버지는 그와 안부를 주고받은 후 돌아와 나에게 신이 나서 말했다. 이제 쟤도 가장 되서 힘들 것 같아 아빠가 인생 선배로서 조언 좀 해주고 왔다고 말하며.

"딸, 너도 노처녀로 늙지 말고 석이삼촌처럼 좋은 사람 만나서 시집가서 아기 낳고 해야지. 결혼하니까 너무 좋다고 자랑 한참 하더라."

　아빠. 지금 뭐라는 거야. 내 나이가 지금 서른하나라서, 결혼적령기를 놓치는 나이(2010년대의 부산은 여자 나이가 일단 서른이 넘으면 노처녀로 취급하는 분위기였다)로 진입하는 나이라서 저 아동성추행범이 서른아홉인가 마흔에 장가갔다고 지금 나랑 묶어서 얘기한다고?

　아니 이 정도면 성인지감수성 어쩌고 하는 그런 문제를 떠나 이 정도로 자녀의 고통에 문제의식이 없는 건 무슨 병 아닌가.

　내가 글 쓰느라 다양한 분야의 책을 진짜 많이(물론 찔끔찔끔 골라 읽는 경향은 있지만)읽는데 의학 지식 관련 책만 잘 안 읽어서 모르는 건가?

　내가 의학적 지식이 없어서 몰라서 그렇지 사실 의학적으로나 혹은 심리학적으로 무슨 **스톡홀름 증후군** 같은 계열로다가 **'집안의 가장이기만 하면 가해자를 사랑하고 옹호해주고 싶어하는 무슨 병'**같은 게 있나? '집안의 가장이기만 하면 아무리 심각한 가해자라도 보호해주는 법'은 있는 거 알고 있는데 이게 병도 있나? 유명한 논문도 있고 유명한 의학 잡지에도 발표되었는데 내가 최신 정보에 발 빠른 편이 아니라서 나만 모르는 건가?

그나저나 대단하긴 하다.

나를 성추행한 것만 문제가 아니라 그가 20대 초반부터 30대 초반까지 여자친구 돈 떼먹고 잠수 탄 것만 10번도 넘고 그 뒤치다꺼리를 작은할머니에게 토스해서 작은 할머니가 명절마다 제사마다 음식 준비하면서도 그 돈 빌리느라 사람들에게 아쉬운 소리 하는 거 수십번 들었는데 그 금액도 몇십만원에서 몇천만원까지 참 다채로웠고 어떤 때는 돈 때문인지 다른 문제 때문인지 여자친구 아버지까지 찾아와서 고소한다고 콩밥 먹인다고 난리친 것도 들었는데(네, 저희 집안은 흔히 말하는 콩가루 집안도 아니고 그냥 무슨 희한한 집구석인 거 같아요). 그 돈을 빌려준 게 다 같은 여자인지 다 다른 여자인지는 모르지만 어찌저찌 수습도 다 하고 이렇게 시간 지나니 누군가와 결혼도 하고 애도 낳고.

내가 저렇게 많은 내용을 알고 있으면서도 이 기억을 그토록 오랫동안 억누르고, 그리하여 그 오랜 시간 떠올리지 못한 이유는 아무리 생각해도 결국 한가지였다.

아버지, 당신에게 사랑받고 싶어서. 당신의 말을 무조건 잘 들으면, 사랑받을 수 있을 줄 알고.

*

영화 〈에에올〉에서 웨이먼드가 싸움의 한가운데에서 다정함을 외치는 장면이 있다.

자신이 아는 건, 다정해야 한다는 것뿐이라고, 특히나 뭐가 뭔지 혼란스러울 땐 더욱 그래야 한다고. 그게 자신이 싸우는 방식이고, 또한 그것이 생존전략이기도 하다고.

그랬다. 다정함은 내 아버지의 생존전략이기도 했다. 아버지는 무뚝뚝했지만 가끔씩은 그 무뚝뚝함을 완전히 상쇄시킬 만큼 무척 다정한 사람이기도 했다. 아빠의 다정함 때문에, 아빠가 날 가해했다는 사실을 선택할 수도, 받아들일 수가 없었던 것이다. 그래서 그를 나의 가해자라고 생각할 수가 없었다. 불행히도, 아버지가 내 가해자에게까지 다정함을 보이기 전까지. 다정한 그가, 사실은 가해자라는 모순적인 상황을 동시에 납득하기란 얼마나 어려운 일인가. 아버지든, 연인이든.

*

내가 10살 때 작은 할아버지 막내아들로부터 성추행 당했던 것을 말했을 때(그렇다, 핥는 건 거절했지만 보여주긴 했었다. 우리 집에 최신 게임기가 있어서 게임하러 온다는 핑계로 놀러올 때마다 그런 식으로 그는 나를 성추행했고 그게 3차례(정도) 이어졌다. 그리고 그는 보기만 한 게 아니었다. 보기만 할 거라고 해서 보여줬더니, 그는 집요하게 한번만 만지게 해달라고 했다.

(아마도)3번째날, 삼촌이 하는 부탁, 기분 이상해서 다음부터 못 들어주겠다고 하자, 그럼 마지막이니까 한번만 핥게 해달라고 했다. 상상도 못한 더러운 요청에 생각해보겠다고 하자, 그는 그럼 오늘 마지막 아닌 거다? 라고 하며 약속하라고 하느님께 맹세할 수 있냐고 했다. 나는 알겠다고 했지만 거짓말이었다. 그리고 부모님께 말하지 말라는 그의 부탁을 당연히 어기고 이 모든 이야

169

기를 부모님께 했던 것이다), 엄마가 아빠에게 말했다.

당신, 걔, 우리 집에 그만 오라고 말하라고. 뭐 하는 새끼냐고.
교회 장로 아들이고 청소년부 교사라던 놈이…

그 말을 하는 엄마의 표정은 그야말로 사나웠었다. 하지만 아빠
는 오히려 엄마에게 시조카에게 무슨 말버릇이냐고 하면서, 나
에게는 어디 가서 말하지 말라고 입단속을 시킨 후 엄마에게 일
크게 만들일 있냐고 말하면서, 그에게 아무 조치도 취하지 않았
다. 조치를 당한 건, 오히려 나였다.

*

아빠는, 나에게 그가 오면 같이 안 있을 수 있게 니가 알아서 피
하면 되지 않느냐고 했다(물론 그 말대로 하긴 했다, 다른 선택지
가 없었으니까). 나는 그가 (우리 집에)오면 마주치지 않게 어딘
가 숨어 있었고, 내가 어딨는지 묻는 그에게 엄마나 동생은 밖에
나가 논다고 거짓말을 하곤 했다(우리 집인데 이게 뭐하는 건지
모르겠다). 아버지는 일 때문에 2-3개월에 한 번 오느라 그와 별
로 마주치진 못했지만 아버지가 있을 때 그가 놀러와서 마주치게
되면 아버지는 나한테도 그렇게 안 주면서 그에게 두둑이 용돈을
주곤 했다. 그가 가고 나면 항상 안쓰럽다고 말하며.

도대체, 뭐가, 어느 부분이 안쓰러웠는지 모르겠다.

성매매를 하러 갈 돈이 없어서 친척 아이를 성추행하러 오는 거
라고 생각하셨던 걸까. 그에게 그 정도로 공감되는 게 혹시 아빠

도 그 나이 때… 모르겠다. 거기까지 생각하고 싶진 않다.

 그게 이 일에서 아버지가 우리에게 한 대처의 전부였다. 그 일 때문에 밤에 안방에서 종종 싸우던 엄마와 아빠의 목소리를 들었다.

 하지만 엄마도 끝까지 싸울 순 없었을 것이다. 아빠는 가끔 싸우다가 엄마가 자신의 의견을 들어주지 않으면 다정하게, 화를 전혀 내지 않으면서, 당신 이런 식으로 굴면 생활비 안 보내겠다고 했다. 혹은 얼마(절반정도)만 보내겠다고 말하곤 했고 실제로 종종 그렇게 했다. 다 보낸다고 해도, 넉넉하지는 않은 생활비였는데도. 이때도 그렇게 했었는지 확실하지 않지만.

  엄마가 아니었다. 엄마가 아니라 아버지가 내 인생의 첫 가해자였다. 그제야 마음이 가벼워졌다. 내 마음이 무거웠던 이유는, 엄마에게 아무 잘못도 없어서가 아니라 진짜 가해자는 따로 있었기 때문이었다.

 아버지는 아직도 내 인생의 첫 가해자가 당신이라는 걸 모를 것이다. 늘 그렇듯, 다정하고, 속 편하게.

 5살에 서른 안팎의 남자에게 죽을 각오로 욕을 하던 내가, 10살에 스물 두셋인 남자가 무서워서 그랬을까. 물론 그랬을 가능성도 있겠지만.

 그의 더러운 부탁을 번번이 거절하기 힘들었던 이유는 아버지 때문이었다. 나와 그를 연결하는 건 아버지라는 고리였으니까. 나는 아버지를 둘러싸고 있는 아버지의 핏줄이라는 세계, 그들의 어떤 위계를 흐트러트리고 싶지 않았다. 나의 불쾌함이나 나의 고통 때문에 아버지의 세계가 상처받고 무너지길 바라지 않았다, 그 어린 나이에.

 아버지가 먹을 것, 입을 것 좀 주고 나를 보호한 게 아니었다. 그 어린 아이의 몸으로 내가 아버지의 세계를 보호한 것이었다.

*

 엄마를 모욕하고 때리던 시뮬레이션의 밤은 끝이 났다.

 그 수많은 시뮬레이션은 엄마를 위한 게 아니라 사실 아빠를 위한 것이어야 했는데 너무 많은 에너지를 써버려서 더 이상 시뮬레이션할 에너지가 없었다. 오랜 시간 내 길티 프레져였는데 이제는 엄마고 아버지고, 누가 됐든 뭐가 됐든, 어떤 시뮬레이션도 하고 싶지 않았다.

 다 귀찮아져버렸다.

아빠의 육아

"내가 애를 어떻게 봐!"

 엄마가 밥을 짓기 위해 잠시 자리를 비운 사이 내가 울자 아버지는 나를 집어던졌다고 한다. 그때 마침 들어온 엄마가 그걸 보고 심장이 덜컹 내려앉아 한소리 하자, 아빠가 부루퉁해하며 했던 대답이 저 말이었다.

 내가 애를 어떻게 봐.

 아버지는 그때 직업이 없어서 일을 전혀 하지 않았다. 밥도 할 줄 몰랐지만 아이도 볼 줄 모른다고 했다. 당연히 청소, 빨래도 엄마가 했다. 돈은 어디서 났냐고? 이웃에서 빌려서 살았다고 한다. 하다하다 안 되면 외가에 손을 벌리거나.

당시의 내 아버지는 그때 그냥 사지 멀쩡했을 뿐 할 줄 아는 것이나, 하는 것은 없었다. 밥 차려주면 먹고, 취업 준비한다고 나가서 친구랑 술 마시고 오고, 씻고 자거나 가끔 안 씻고 자고. 할머니가 엄마 시집살이 시키면 니가 참으라고 하고.

요즘 틱톡이나 인스타그램에 아버지가 한 육아를 소재로 만든 짧은 숏폼들이 많이 있다. 아버지에게 맡긴 아이의 행색이, 엄마가 돌볼 때보다 엉망진창인 걸 비교해서 사람들에게 웃음을 주겠다고 올린 것이다.

이런 것도 있다. 엄마는 그 자리에 없고 아빠만 있는데, 앞에 있으면서도 영상 찍으려고 아이가 울거나 떼를 써도 어른답지 않은 모습으로 놀면서 낄낄거리는 영상. 제목은, <아빠에게 육아 맡기면 안 되는 이유ㅋㅋㅋ>.

나는 뒤에 ㅋ이 붙은 이 영상들이 하나도 웃기지 않다. 육아가 장난으로 보이나? 그럼 조금 전까지 울고 떼쓰던 아이를 돌보는 '뒷일'은 누구에게 돌아갈까. 높은 확률로 엄마가 그 일을 하게 될 것이다.

그리고 아빠에게 맡겨진 동안 적절한 정서적 피드백을 받지 못해 생긴 감정의 서운함은 그 다음 대상에서 더 격렬한 돌봄과 애정을 요구하게 될 것이고, 그래서 더 칭얼거리고, 더 울고, 더 떼쓰게 될 것이다. 영상을 찍고 난 이후, 아마도 2배 더 피곤해진 육아상황이 기다리고 있을 것이다.

미디어와 사회적 목소리는 오랫동안 '어머니의 사랑은 가치를 매길 수 없다'고 말하지만 어머니의 사랑이 너무 위대해서 매길 수 없다는 의미가 아니다. 가치를 매겨주기 싫은 것이다.

〈재벌집 막내아들〉에 이런 대사가 나온다.

오세현 세상 모든 일엔 가격표가 붙어있죠.
　　　　　돈으로 환산할 수 없는 숭고한 가치 뭐 그런
　　　　　건 없습니다.
　　　　　사랑을 감히 값을 매길 수 없다고 말하는
　　　　　사람들은 그냥 공짜를 좋아하는 도둑놈 심봅니
　　　　　다. 돈으로 행복을 살 수 없다면, 그건 돈이
　　　　　부족하기 때문이죠.

나는 세상이 어머니의 사랑에 가격표를 매길 수 없다고 말하는 이유가 여기에 있다고 생각한다. 가격표를 매기면 지불해야 하니까, 앞으로도 지불하지 않고 이용하고 싶어서. 어머니의 사랑을 올리치기하는 척 하지만 사실 호되게 후려쳐서 계속해서 공짜로 이용하려고.

죄송하지만 딸입니다.

내 친구 영지는, 엄마가 죽을 고생을 하고 자신을 낳았을 때 의사가 했던 말을, 어느 명절에 듣게 되었다고 한다.

"죄송하지만 딸입니다."

그녀는 그 말을 떠올릴 때마다 이상한 기분이 든다고 했다. 내가 딸인 게 왜 죄송할 일이지? 그것도 아빠와 조부모님에게 죄송하다고 할 건 뭐지? 사과라는 건 무언가 잘못을 했을 때의 일이고, 시작점에 그 사람의 행동이나 말이 들어가 있어야 하는데 그 의사가 엄마나 아빠 사이에 개입한 것도 아닌데 지가 뭐라고 죄송한 거지? 만약 집안의 남아 선호가 강해서 아들을 간절히 원했다고 해도 그건 우리 집안 사정인데, 그 의사는 뭔데 나서서 사과를 하는 거지? 지가 뭔데? 내 존재 자체가 사과할 일이야?

그녀는 오랫동안 외동으로 지내다가 12살에 남동생이 태어남으로서, 뒤늦게 장녀가 되었다. 남동생이 태어났을 때, 의사들이 입을 모아 "축하드립니다, 아들입니다." 라고 하는 걸, 그녀는 들었다.

영지가 말했다. 나는 태어날 때 죄송하다는 말을 들었어야 했는데 남동생은 왜 축하를 받으면서 태어날까.

유통기한 3년 지난 도라지청

부모님에 대해 실망할 게 남아 있다면, 그것은 진정한 실망이 아니다.

팟캐스트〈영혼의 노숙자 E.253 지하돌의 삶〉,

박상영 작가의 말

한창 이 〈장녀해방일지〉를 쓰고 있을 때 이 멋진 컨텐츠를 알게 되었다.

〈영혼의 노숙자〉의 핫 아이템 "이상한 나라의 부모님",그리고 부모님 관련 아이템의 영원한 소재부자 박상영 작가는 얼마 전 엄마가 건강 걱정된다며 건강식품을 보내준다고 해서 주소를 보내드린 후 그녀가 보낸 건강식품을 받았다. 유통기한 3년 지난 도라지청. 3개월이면 참으려고 했는데, 3년이라니.

짜증이 난 박상영 작가가 전화를 해서 따지자 어머니는 미안한 기색도 없이 깔깔깔깔 웃으면서 말했다고 한다. "어머, 그랬니?"

그는 말한다. 저는 실망하지 않았습니다. 그리고 여러분, 부모님께 실망하셨다면 그것은 진정한 실망이 아닙니다. 부모님에 대한 모든 기대가 떠나면 이제 우린 웃을 수 있습니다. 이건, 소재로구나.

아직 박상영 작가만큼 웃을 수 있는 경지에까지 오르진 못했지만 실망하지 않는 정도로는 되었다. 나는 부모님이 뭘 해도 이제 실망하지 않을 자신이 있다.

장녀칼춤

언젠가 유명 에세이스트가 이런 말을 한 적이 있다.

"에세이는 굉장히 용감한 장르의 글이에요. 에세이를 써서 부자가 될 일은 절대 없거든요. 그런데 알면서도 에세이스트들은 자신의 내밀한 부분을 가장 적나라하게 드러내는 글을 써요. 그 글로 인해 친밀했던 관계가 다칠 수도 있고, 쓰고 나면 도망치거나 숨을 곳이 없는 글이라는 걸 알면서도."

26살 여름, 나는 힘겹게 학교를 졸업했다. 무려 7년 반 만에. 그것도 꽤 형편없는 학점으로. 휴학과 복학, 재적을 반복하며 학비는 무서운 속도로 올랐는데도, 자퇴할 시기를 놓친 나는 어쩌다 보니 졸업장을 손에 쥐게 되고 말았다. 자퇴하는 게 꿈이었는데.

내가 글 쓰는 일을 무척 사랑하고 좋아하긴 했지만 사실 미디어창

작학과라는 것은 취업의 관점에서 보자면 상당히 애매하고 열악한 분야의 학문이다. 방송과 관련된 일자리는 높지 않은 급여에 근무 시간이 형편없이 길다. 그렇게 젊은 시절 노예처럼 뺑이치듯 일해서 노후가 보장되느냐 하면, 혹사당하며 일하느라, 기본 수명이 깎여서 노후까지 살 수가 없어 노후를 걱정할 필요가 없을 것 같긴 하다. 평균 수명보다 훨씬 일찍 죽으니까.

어쨌든. 우여곡절 끝에 27살에 전혀 관련 없는 분야로 첫 취업을 하고 정신없이 일을 하다 보니 깨달았다. 글이 쓰고 싶다. 더럽게 글이 쓰고 싶다. 내가 쓰던 글을 완성하고 싶다. 완성해야만 한다. 기필코.

이 정도로 내가 글을 쓰고 싶어 하는 줄은 몰랐다. 진짜 너무너무 쓰고 싶고 완성하고 싶어 미칠 것 같았다. 결국 2년 만에 회사를 그만두고 29살에 글을 완성하겠다고, 글을 써서 먹고 살겠다고 서울로 올라왔다.

*

처음으로 들었던 시나리오 수업에서 친해진 언니들이 신기하게도 모두 장녀였다. 다들 퇴사한지 얼마 되지 않았거나 프리랜서라서 시간이 많다는 것을 알게 된 우리는 합평 모임을 만들기로 했다. 시나리오 수업은 2주에 한 번이었는데, 그 텀 동안 늘어질 것 같아 수업 외에 일주일에 한 번씩 모이기로 했다.

아마 합평을 마친 어느 술자리에서였나. 나는 언니들에게 어렸을 때 겪은 성추행에 대한 이야기를 털어놓고 말았다.

내가 뭘 기대하고 그런 말을 꺼낸 걸까? 동정해 달라고? 나 이렇게 힘들다고 징징거리려고? 모르겠다. 아마 술에 취해 마음의 긴장이 많이 풀어져서 그랬던 것 같다.

사람들에게는 더 늦기 전에 꿈에 도전해보고 싶어서, 시나리오 작가라는 꿈을 이루고 싶어 올라왔다고 말했었지만, 그 배경에는 스토커 짓을 하던 남자친구로부터 멀어지기 위한 이유도 있었다.

나는 가족들에게 스토킹 하던 남자친구 이야기를 할 수조차 없었는데, 그 이유는 가족들이 나의 걱정과 불안을 항상 가볍게 취급하며 예민한 여자 취급을 했기 때문이었다.

지나가듯 가족 중 누군가에게 남자친구가 너무 집착을 해서 불편하다는 말에 가족 중 누구였는지 모르겠지만, 너를 그 정도로 좋아할 남자가 있어? 너 정도밖에 안 되는 애를? 이라며, 좋아해주면 고마워해라, 라고 했다. 뭐래. 내가 원하지 않는 방식으로 자신의 애정을 표현하고 그로 인해 내가 불편하고 불안한데 왜 내가 고마워해야 하냐고 하자, 그런 좋지 않은 성격이니까 고마워해야지, 라는 반응에 더 이상 대화를 이어갈 수가 없었다.

왜 가족이란 사람이, 나를 괴롭히는 방식으로 좋아하는 남자를 내가 받아줘야 한다고 말하는지, 또 그걸 듣고 있던 어느 누구도, 그 가족에게 그건 애정이 아니라 괴롭힘이라고 제재를 하지 않는지 불쾌했다. 어쨌거나 더 대화를 해봤자 나만 이상한 사람이 되는 외로운 싸움이 될 뿐이었다.

그래도 여기 있는 언니들이라면 나의 이런 마음을 알아줄 것 같다 보니 자연스럽게 어린 시절의 이야기도 털어놓았던 것이다.

내 말을 듣던 어느 언니가 조용히 말했다.

"그게 그렇게 트라우마일 일이니?"

그 언니가 풀어놓은 이야기는 친하게 지내던, 친척 내에서 칭찬을 많이 받던 사촌오빠로부터 성폭행을 당한 이야기였고 나처럼 1회성으로 끝난 게 아니라, 1년에도 몇 번씩 어른들 모임이 있을 때마다 그 일을 겪다가 부모님께 이야기를 했지만 오히려 자신이 비난을 받은 일이었다. 창피한 줄 알라고.

그 언니를 시작으로 다른 두 언니 역시 자신의 트라우마를 꺼냈는데 두 언니 모두 친척으로부터 성추행, 성폭행의 경험이 있었다.

한 언니는 남동생이 돈 많이 드는 진로를 정했을 때, 집에 돈이 없는 줄 알았는데 집에서 크게 힘들어하지 않으며 유학을 보내서 의아했는데, 알고 보니 자신을 성폭행한 집안 쪽 어른이 사과의 의미로 남동생을 지원해주기로 해서 유학을 갈 수 있었다는 것을, 그 언니가 결혼하고 나서야 마음의 짐을 이제야 던다는 듯이 부모님이 말해주었던 일도 있었다.

피해자는 자신인데, 왜 사과의 의미인 지원을 남동생이 받는지, 그걸 왜 지금 말하고 마음대로 마음의 짐을 더는지 그 언니를 필두로 분노와 서글픔이 뒤섞인 말들을 퍼붓듯 쏟아내는 언니들을 보며, 진심으로 어린 시절의 내 고통이 별 거 아닌 건가 위축이 될 정도였다(사실 나는 열 살 때 겪은 작은 할아버지 막내아들의 성추행을 잊

183

고 살고 있었다. 나는 이 기억을, 내가 이토록 오랫동안 억누르고 사는 줄도 모르다가 서른한 살 때, 할머니 장례식에서 아빠가 그의 어깨에 다정하게 손을 올리던 그때, 그 오래된 기억이 떠올랐다. 할머니의 선물이었을까).

한바탕 혼란스러운 트라우마 고백 시간이 끝난 후, 찾아온 평온한 시간에 차분히 얘기를 나누다 알게 된 사실은, 이 한 많은 4명의 우리 모두 남동생이 있는 장녀들이었다는 것이다.

*

아직 각자의 상처가 아물지 않은 상태에서 타인에게 억지로 그 상처를 펼치고 만 우리는 어색해지고 말았다. 우리가 이제 가까워질 수없다는 것은, 그 누가 말하지 않아도 모두가 느끼고 있었다.

그리고 나는 그때 정말 작가가, 성공한 작가가 되고 싶었다.

글 쓰는 여자 4명이 모였는데, 모두 장녀고, 그 중 3명이 친족 성폭력 피해자라니. 백분율로 치면 75%고, 이건 아주 드문 귀한 소재라는 생각이 들었다. 아무리 힘들었던 일이라도 시간이 흐르면 글로 쓰여질 수 있고 글로 쓰인 이야기는 어떻게든 세상에 남을 수 있다. 나는 이 이야기가 남겨질 만한 가치가 있다고 생각했다.

나는 수업 마지막 날, 언니들에게 혹시 우리가 했던 이야기를, 나중에 그 이야기를 쓸 만한 소재의 스토리가 생긴다면 내 시나리오에 녹여내서 써도 되는지 물었다. 글 쓰는 여자 4명 중 3명이 친족 성폭행/성추행 경험이 있다는 건 아무래도 그냥 흘려보내도 되는 이야기가 아닌 것 같았다(내가 겪었던 성추행의 기억을 내가 얼마나 강하게 억누르며 살았는지 언니들이 그 난리를 치며 우는 와중에도 나는 전혀 열 살 때의 기억을 떠올리지 못했다).

내가 그 얘기를 꺼내자, 언니들은 서로를 바라보았다. 나 빼고, 세 언니는 친해졌다. 아무도 얘기하지 않았지만, 우리 모두 그 이유를 알았다. 언니 한 명이 나한테 질렸다는 듯이 말했다.

"그 얘기를 쓸 자격은 우리한테 밖에 없지 않을까."

그때 무슨 용기가 났을까. 사실은 글 욕심이었을 것이다. 내가 그 이야기를 쓰고 싶은 욕심. 거기에다 이 이야기를 세상에 보여야 한다는 고집스런 생각.

"언니들이 쓴다고 하면 안 쓸게요. 근데 글 쓰다가 관두는 사람들 생각보다 많잖아요. 근데 저는 이 이야기가 꼭 쓰여야 하는 이야기 같고, 저는 평생 끝까지 글 쓸 거란 말이에요."

나는 잔뜩 위축되었으면서도 저런 내용을 중얼중얼 다 말했던 것 같다. 또 다른 언니가 하, 씨발, 재수없어, 라고 하는 게 들렸다. 나는 죄인처럼 눈을 깐 채, 속으로 빌었다. 네, 재수 없다는 소리 듣더라도 쓰고 싶어요. 쓰게 해주세요, 제발.

어떤 마음 약한 언니가 졌다는 듯 말했다. 10년 뒤에도 이 이야기 아무도 안 썼으면 그때 써, 됐지.

*

지금 이 글을 쓰고 있는 내 나이는 딱 39살이다. 약속을 지키려던 건 아닌데 어쩌다 보니 10년이 지났다. 그리고 할머니 장례식에서 아빠가 그의 어깨에 다정하게 손을 올린 덕분에, 뒤늦긴했지만 실제로 나 역시 그 일을 쓸 자격이 있던 사람인 것도 뒤늦게 알게 되었다.

장녀이면서 친족성폭력의 경험이 있었던 4명의 여자가 모두 영화 시나리오라는 글을 쓴다.

에세이처럼 솔직한 글은 무섭고, 그래서 강렬한 허구를 만들어도 되는, 내가 벌주고 싶은 캐릭터를 만들어서 죽음으로 처벌해도 되는 글을.

우리는 캐릭터 뒤에 살짝 숨어도 되는 시나리오를 쓰는 것은 아닐까. 시나리오라는 건 굉장한 허구지만, 글쓴이의 욕망과 분노를 아주 섬세하게, 때로는 폭발적으로, 모든 디테일들에 자신의 경험과 감정을 녹여 쓸 수 있으니까.

마치 내가 쓴 시나리오 『월매전』에 월매의 연인이자 춘향의 생물학적 아비인 성준이라는 남자에 나의 아버지를 녹여낸 것처럼. 그는 평소엔 몹시 다정하지만 결정적인 순간에 자기만 살겠다고 도망간다. 그런 그의 모습은 다정하지만 비겁한 나의 아버지와 아주 몹시 닮아있다.

글 쓰는 인간들은 어린 시절에 겪은 해소되지 않은 감정과 상처가 있다고 한다. 하지만 시나리오 작가 지망생들의 성장배경이 이렇게까지 같다는 건 좀 놀랍지 않은가.

나는 의심이 든다. 다 같이 이런 일을 입 밖으로 꺼낼 기회가 없어서 다들 그냥 지나가는 게 아닐까.

나조차 내 기억을 21년만에야 떠올린 것처럼, 자신도 모르는 이 비슷한 카테고리의 트라우마가 있는 것은 아닐까. 글 쓰는 장녀라면.

오랜시간 내가 겪은 일들을 '별 것 아닌 것'이라고 치부하는 말들을 가까이서, 그것도 오랜 시간 지속적으로 듣다 보니 사회적으로 아동성추행이 범죄이고, 친족 성추행 역시 범죄라고 하는데도 내가 겪은 일을 고통이라고 말하는 게 엄살일까, 하는 자기 검열이 끊임없이 든다.

최고은. 영화 시나리오 감독이자 작가. 지망생들의 영원한 아픈 손가락일 이름.

그녀가 장녀인지는 모른다. 다만 그 어려운 상황 속에서도 글을쓰는 것을 포기하지 못한 것이 그 언니들 3인방과 나처럼, 울부짖을 자신의 이야기를 아직 완성하지 못해서였던 것은 아니었을까 가늠해보곤 한다.

그렇지 않고서야 과거의 그녀가, 현재의 우리가 왜 이렇게 집요할 정도로 글을 쓰는 것인지 알 수가 없다.

글 쓰는 장녀들. 우리의 칼춤은 아직 시작조차 되지 않았다.

장녀 vs 장남

 할머니의 장례식 때, 나는 처음으로 고모할머니의 큰 아들을 봤다 (그러고 보니 할머니 장례식 때 정말 수많은 일이 있었구나). 그도 나처럼 영화 시나리오를 쓴다고 했고, 대학 졸업 전부터 시나리오를 써서, 글 쓴 지 20년 됐다고 했다.

 나에게는 오촌당숙인데, 편의상 그냥 당숙이라 칭하겠다.

*

 나는 당시 주 5일 생계를 위해 콜센터에서 근무하며 『월매전』이라는 제목의 『춘향전』이야기의 프리퀄 스토리의 시나리오를 쓰고 있었다. 내가 쓰는 시나리오 이야기를 하자 당숙은 자신도 현재 역사물 시나리오 작업을 하고 있다고 했다. 내가 제목을 알려달라고 하자 그는 민망해하며 영화판 일이라는 게, 되어야 되는 것이라서 제목 말해줬는데 제작 안 되면 창피하다고 사실 이 제작사가 작아서 엎어질 확률이 높은 영화라며 제목을 알려주지 않았다.

어쨌거나 친척 중에 시나리오 작가가 있다는 사실은 처음 알았다. 그것도 20년이나 일한. 그래도 몇 개는 영화화가 되었겠거니 싶어 데뷔작이 뭐냐고 묻자 그는 자신의 이름이 표시돼서 나간 작품은 없다고 말했다. 그래도 뭐라도 유명한 거 있지 않냐고 묻자, 결국 데뷔작 대신 최근 작업하고 있는 작품(엎어질 것 같다며 말 안 해주던 그 작품)의 이름을 말해주었다. 김별아 작가의 『채홍』. 그 책을 시나리오로 만드는 일을 하고 있다고 했다.

*

지금 인터넷을 켜서 『월매전』과 『채홍』을 검색하면, 둘 다 책으로 소개될 뿐 영화로 나오는 정보는 없다.

『월매전』의 경우, 완성한 것은 2017년, 그후 저작권위원회에 등록한 것은 2018년이다. 그때부터 제작사를 컨택하려고 하고 있는데 쉽지가 않다. 어떻게든 알려보고자 책으로 출판한 것이 2021년이다.

『채홍』은 제작사에서 제작하겠다고 책 판권을 사고, 영화화될 거라고 기사까지 났으나 결국 못 만든 것 같다. 이유는 한가지다. 투자에 어려움을 겪어서 기획은 했으나 제작까지는 가지 못하는 것이다. 2013년에 제작하겠다고 했던 기사 이후 움직임이 없다. 당숙이 각색을 마쳤다고 한 건 2015년. 제작될 일은 아마 영원히 없을 것이다. 흔한 일이다.

누굴 걱정할 처지는 아니지만 우연히(라고 하기엔 집요하게 물어서) 듣게 된 당숙의 수입(『채홍』의 시나리오 각색 작업 비용)은 너무 형편없었다. 계약기간 동안의 수입을 월수입으로 나누면 내 수입과 비슷했는데 문제는 그가 20년 경력의 베테랑인데도 그 정도 처우라는 사실이었다. 게다가 프리랜서다. 매번 일이 끝날 때쯤 새로운 일이 무조건 들어오는 것도 아닐 텐데, 그럼 그 공백 동안은 뭐 먹고 사는 걸까.

"당숙, 내가 진짜 이해가 안 돼서. 당숙은 이거 말고 뭐로 돈 벌어? 따로 일해? 당숙도 서울 산다며 그걸로 생계유지가 돼?"

당숙이 나지막히 말했다. "엄마가…가끔 생활비…랑 음식이랑."

고모할머니 작은아들이 왜 고모할머니 안 좋아했는지 알겠다. 장남 올인. 어딜 가나 있지만 여기 또 장남밖에 모르는 어머니와 그 피해자가 있었다.

진짜 성공하고 싶다. 진짜진짜 성공해서 엄마 뒷바라지 받은 장남은 이루지 못했지만, 아빠 지원 못 받은 장녀의 성공신화로 우뚝 서고 싶다.

인터뷰 1

가족의 온기

 부모님을 만나러 본가에 내려갔다 오면 온기를 빼앗기고 온 기분
이 든다. 내 몸에 있던 따뜻한 기운을 누가 함부로 다 가져간 것 같
다.

*

 나는 오래 전부터 추위에 굉장히 민감했다. 독립하고 나서 제일
신경 쓰는 것이 집 안의 온기였다. 초가을이 되기 전부터 나는 전기
장판, 화장실용 온풍기, 난로, 실내화 등 몸의 온기를 조금이라도
빼앗기면 큰일 나는 것처럼 수시로 방한용품을 구비해놓고, 또 검
색하고 또 구매했다.

가족과 있을 때면 나는 내가 원하는 가족의 온기와 분위기를 만들기 위해 안간힘을 쓴다. 꼭 필요한 말 외에는 어떠한 말도 하지 않는 부모님과 오빠. 나는 숨이 막힐 것 같다. 일어나 거실로 나가도 아무도 '일어났어?' 라는 말조차 하지 않는다. 안녕히 주무셨어요, 라는 내 말에 거실에 있는 아버지도, 주방에 있는 어머니도 아무 대답을 하지 않는다. 부부 싸움을 하신 것도 아니다. 우리 집은 원래부터 이랬다. 나는 이 답답한 공기가 싫어 밝고 명랑한 딸을 '연기'한다.

'아빠, 오늘 저녁에 나가서 고기 먹을까?'
'엄마, 뭐해? 내가 같이 할까?'

집 안에서 들리는 사람 목소리의 90%는 내 목소리다. 아빠가 그러든가, 라고 대답한다. 엄마는 됐어, 라고 대답한다. 끝이다. 나머지 10%는 TV 소리다. 여기서부터 내가 더 말을 꺼내지 않는 이상 우리 집은 어떠한 사람 말소리도 나지 않는다. 코미디 프로그램을 보면서도 웃지 않는 가족들을 향해, 아빠, 저거 좀 봐, 웃기지 않아요?, 엄마, 저 사람들 안 웃겨? 하고 끊임없이 분위기를 업시키려고 했다. 아무도, 아무 반응이 없는데도. 그럴 때면 나는, 내가 왜 이러고 있나 싶었다.

*

"J님, 꼭 그렇게 하실 필요 없어요."

집에만 다녀오면 너무 진이 빠지고 힘들다고 털어놓자 정신의학과 상담 선생님이 말했다.

"…… 저라도 그렇게 안 하면, 우리 가족은 가족 같은 기분이 안 느껴지는데, 그러면 너무 불안해요, 선생님."
"지금 J님이 말씀하셨잖아요. 밝고 명랑한 딸을 '연기'하고 있다고요."

왜 그렇게까지 생활 속에서 '연기'를 하는 것 같냐고 선생님이 물었다. 한 번도 생각해본 적이 없는 질문이었지만 뭐라고 했었는지 대충 떠올려 보자면, 그렇게 하지 않으면 '존재감'을 느낄 수가 없어서요, 였다. 이어지는 내 설명을 다 들은 선생님은 '존재감'을 불안해하는 문제와 더불어 한 가지 더 중요한 것이 있다고 했다.

내가 가지고 있는 환상.

선생님은 내가 가족에 대한 환상을 가지고 있다고 했다. 가족의 분위기가 꼭 밝고 소란스러운 것은 아닌데 내가 생각하는 '이상적인 가족상'이 있어 그걸 계속 실현시키려고 하는 노력을 멈출 수가 없다고, 그걸 내려놓을 필요가 있다고 했다.

내가 무의식적으로, 하지만 강하게, 우리 가족을 '주말드라마에 나올 법한 화기애애하고 끈끈한 가족'으로 만들고 싶은 욕구가 있다고 했다.

약을 처방받고 집으로 돌아와 생각했다. 선생님은 조심스럽게 나뿐만 아니라 누구나 다 조금씩 가족에 대한 어떤 유아적인 환상을 가지고 있다고 하면서 그 마음을 조금씩 줄여나가시면 좋을 것 같다는 말을 해주셨다.

내가 가족들에게 보이는 밝고 명랑한 딸 연기를 그만둘 수 있을까. 나는 가족 사이의 그 무겁고 답답한 공기를 견디느니 차라리 연기를 하는 게 마음 편할 것 같았다. 선생님의 말대로 그 마음을 줄여 나갈 수 있을 것 같지가 않았다.

"제가 그걸 할 수 있을까요?"

선생님이 의아하다는 듯이 나를 바라보며 말씀하셨다.

"그건 J님이 할 일이 아니에요. 그 일은 하는 것은 저희의 일이구요, J님은 그냥 일상을 살아주시면 됩니다."

이후에 몇 번 더 이어진 상담에서 선생님이 말했다. 내가 그동안 힘들었던 것은, 내가 가진 그릇된 가족의 환상을 줄이는 일이 내가 혼자 할 수 있는 일이 아니었기 때문에 그렇게 힘든 것이었다고. 그런데 그 힘든 걸, 내가 혼자 어떻게든 하려 했었던 거라고.

마치 내 앞을 가로막고 있는, 별로 크지 않는 500kg의 돌을 50kg라고 혼자 추측하고, 그래서 혼자 들 수 있다고 생각해서 계속 들려고 했던 것과 비슷하다고. 그 돌이 크지 않더라도, 사실은 일반인이 절대 들 수 없을 정도로 아주 무겁기 때문에 전문지식을 가진 사람들이, 나를 비롯해 그 돌 주변에 있는 사람들이 다치지 않도록 조심스럽게 그 돌을 깨고, 그 돌을 치우는 것과 비슷하다고. 시간이 좀 걸릴 거라고.

*

그걸 도와드리는 것이 정신건강을 공부한 우리의 일이다, 당신은 그냥 살아있기만 하면 된다. 나는 가끔 선생님이 해준 말을 스스로 중얼거린다. 그건 J님이 할 일이 아니에요. J님은 그냥 일상을 살아주시면 됩니다.

 초가을이 되기도 전에 샀던 화장실용 온풍기. 샤워하는 동안 잠시라도 추울까봐, 몸을 닦는 동안 잠시라도 추울까봐 부랴부랴 구입해서 걸었던 온풍기. 사실 내 원룸에 있는 화장실은 아주 좁아서 따뜻한 물로 샤워할 때면 더울 정도로 작아 추위를 느낄 수도 없었다. 나는 그걸 계산해 볼 생각도 없이 온풍기를 샀던 것이다. 혹시라도 추울까봐. 나는 어느 정도 추위가 두렵지 않아졌고, 마침 온풍기가 필요하다는 주변 지인에게 선물로 줬다.

회사 같은 가족

장녀 K

아버지는 유난히 출장이 잦고, 길었다. 자주 안 봐서 그런지 올 때마다 어색했다.

"엄마, 혹시 아빠…… 바람났어?"

엄마는 얘가 무슨 소릴 하는 거냐며 나를 달랬다. 어린 마음에 아빠는 우리가 보고 싶지도 않은지 너무 섭섭했다. 그나마 집에 머무는 동안 아빠는 낚시를 하러 가거나 스크린 골프를 치러 친구들을 만나러 가서 나와 동생, 엄마와 보내는 시간이 거의 없었다.

아무리 나랑 동생이 놀아달라고 매달려도, 2-3달에 한번 있는 휴일인데, 나도 좀 쉬면 안 되냐고 신경질을 부리며 우리를 떼놓고 친구들을 만나러 밖으로 나갔다. 어릴 땐 그게 너무 섭섭했다. 속상했다.

 그런데 그 시기는 그리 길지 않았다. 언제부터였는지 잘 기억은 나지 않지만 초등학교 6학년 땐가, 아니면 중학생 때쯤 아이돌 덕질하고 친구들과 수다 떨다 보니까 아빠가 출장을 아무리 길게 떠나 있어도 우리가 보고 싶지 않은지에 대해 섭섭하지 않았다. 출장 다녀와서 친구를 만나러 가는 아빠가 별로 얄밉지 않고 서운하지도 않았다. 내가 당시에 아빠에 대한 감정 변화에 대한 얘기를 하자 친구가 너도 그러냐며 말했다.

 "우리 아빠는 10년 전쯤에 진짜 바람났다가 그 여자가 끝내자고 했는지 몇 달 전에 돌아왔는데. 그동안 하도 떨어져 살아서 그런지 어색하고 남 같고… 아빠라는 거 알기야 아는데, 사실 영 정이 안 간다. 내가 4살 때 집 나갔댔나. 일을 안 해서 맨날 집에 계시는데 엄마 얼굴 봐서 그냥 아빠, 아빠 하는데 에휴, 독립하면 아빠랑은 연락 안 하고 살려고. 솔직히 지금도 남이랑 사는 것 같다."

 서른이 넘어 독립하고 나서 아빠를 보는 기분이, 그때 그 친구가 말한 기분이다. 아빠는 지금도 아빠 친구를 자주 만난다. 가끔 집에 온 가족이 있으면 엄마가 밥 하기 귀찮다고 나가서 먹자고 할 때마다 우리는 아무 말 없이 밥만 먹는다.

 그러던 어느 날 아빠가 말했다.

 "다른 집 딸들은, 같이 밥 먹을 때 남자 친구 얘기도 해주고, 이런저런 재밌는 얘기도 하고 한다던데."

아빠가 서운하다는 듯이 말했다. 어쩌라구요. 나는 어색하게 웃고, 계속 밥을 먹었다. 엄마가 아무 얘기라도 하라고 했지만 나는 흐흐흥, 하며 아무 얘기도 하지 않았다. 솔직히 무슨 말을 해야 할지도 모르겠고, 해야 할 필요도 모르겠다.

*

나는 지금 프리랜서로 다양한 일을 하고 있는데, 프리랜서로 일을 하면서 가장 촉각을 곤두세우는 부분은 이런 거다. 내가 클라이언트에게 어떤 이야기를 했을 때, 내 의견이 받아들여질 만한 업무의 범위가 어디까지인가.

빨리 느껴야 한다. 어디까지 가능한 것이고, 또 절대 불가능한 부분은 어느 것인지. 물론 클라이언트는 그것을 절대 말해주지 않는다. 그리고 클라이언트께서 그걸 말해줄 의무는 당연히 없다. 하지만 말해주지 않아도 느껴야 한다. 되도록 정확히. 그걸 갑갑해하고 서운해해봤자 나만 손해다.

가족과의 관계도 그런 것 같다. 내가 가족 내에서 어떤 것을 해야 하고, 그들이 내게 원하는 게 무엇인지 파악하여 그걸 하는 것. 더욱 중요한 것. 안 해도 되는 것은 어떤 것이고, 하면 좋은 건 어떤 것인지. 그리고 가족은 나에게 어떤 걸 줄 수 있고, 어떤 건 절대 안 줄 것인지 파악하는 것.

가족 모임에 가기 싫지만, 어쨌든 빠지지 않고 가면 집을 옮길 때 이사비를 지원해 주신다거나, 생신 때 연락과 선물을 보내드리면 가전을 새로 바꾸는 데 도움을 주신다거나. 아빠가 연락주셔서 고모부가 소개해주고 싶은 남자가 있다는데 만나보라는 건 거절한다거나. 특히 어른들이 시키는 것 중에 소개팅 같은, 모르는 사람 만나라는 것만큼은 하지 않는 게 낫다.

이런 식으로 하라는 것 중에 할 만한 건 하고, 하라고 한 거지만 영양가도 없고 생색도 안 나는 건 안 하는 것. 그런 것들을 잘 선별해야 한다. 마치 나에게 들어온 업무 프로젝트들을 고르듯이. 까다롭게.

나는 내 가족이 '회사 같은 가족' 같다는 생각이 든다. 내가 해야 하는 일이 있고, 피곤하긴 하지만 그걸 해내면 유형, 무형의 혜택이 있다는 점에서. 직장인 친구에게 그 얘길 하자, 친구는 "야, 회사에선 싫다고 안 하면 잘려. 가족은 안 잘리잖아."라고 했다.

흠, 가족 내에서 잘려도 그리 아쉬울 것 같지 않다. 내가 아빠의 태도에 물든 것인지, 원래 내 성향 자체가 그런 것인지 모르겠다. 어쩌면 같은 DNA를 공유해서일까. 나는 아버지와 무척 비슷하다는 생각이 든다. 아마 아버지도 나처럼 가족을, 사회생활의 연장, 회사 같은 가족으로 느끼며 살고 있었던 건 아닐까.

그냥, 사회생활을 위해 가족을 구성했던 것이다. 아빠의 시절엔 그게 당연했으니까. 그래서 아버지도 집에 오면 쉬는 기분이 들지 않아 들어오기 바쁘게 낚시, 스크린 골프장으로, 친구를 만나 집에 들어올 시간을 늦추기 위해 애썼던 게 아닐까.

내가 본가에 오기 바쁘게 몇 시간도 되지 않아, 다시 내 작은 원룸으로 돌아가고 싶은 것처럼.

그녀가 불쌍하지 않아

장녀L

 엄마가 쓰러졌을 때 연락한 것은 사촌이었다. 지금 살고 있는 곳에서 차로 7시간 거리인 본가를 갑자기 갈 수 있는 상황도 아니었지만, 가고 싶지 않아서, 정확히는 뵙고 싶지 않아서 엄마와 사촌의 연락을 받지 않았다. 몇 시간 후, 상황을 알린 그가 엄마를 병원에 모셔다 드렸다고 알려주었다.

 다음날, 그의 전화가 와서 받았을 때, 가족이란 게 쉽지 않겠지만 그래도 이건 아닌 것 같다는 말에 나는 그냥 묵묵히 듣고 있었다. 엄마한테 괜찮으신지 전화라도 드리라는 말에, 나는 그러기 싫다고 했고, 그도 더 이상은 강요하지 않았다. 잠시 침묵이 흘렀고, 나는 고맙다는 말도 미안하다는 말도 하지 않았다. 그렇게 냉담하게 나는 통화를 정리했다.

 그리고 생각했다. 앞으로 나는 매번 엄마의 건강 문제 이슈가 생길 때마다 이렇게 죄책감을 느껴야 할 거라는 걸.

*

 어렸을 때 엄마에게 폭언을 하던 아빠를 말리다가 엄마가 버릇없게 무슨 짓이냐며 갑자기 엄마가 내 멱살을 잡아 던진 적이 있었다. 발로 몇 번 밟혔는데 차라리 아빠였으면 죽든 말든 대들었을 것 같은데 엄마라서, 그 어린 나이에도 엄마가 불쌍해서 반항하기 싫었다.

 나라도 엄마 뜻대로 행동해야 할 것 같아서 그만 하라고 말할 생각조차 하지 않았다. 죽을 수도 있겠다는 생각이 들었던 것 같은데, 우습게도 그냥 받아들여졌다. 그런 와중에도 차라리 아빠가 죽이면 아빠 감옥 보낼 수 있을 텐데, 엄마는 감옥 안 갔으면 좋겠어서 죽으면 안 되겠다 정도의 생각을 했다.

 사람 목숨이란 게 쉽게 죽는 것 같으면서도 어떨 땐 아닌 것 같다. 맞다가 죽을 수도 있겠구나 싶었는데 죽음 문턱에도 가지 않았다.

 내 경우는 정신이 흐릿해진다고 해야 하나. 생각하는 것이 아주, 아주 느려진다. 내 생각과 내 몸이 멀어진다는 감각이 맞을 것이다. 그리고 몸과 정신을 이어주는 무언가가 힘을 잃는 느낌. 어쩌면 엄마는 내가 아빠한테 맞으면 더 세게 맞을까 봐 먼저 선수 친 것일지도 모른다.

 이후, 엄마는 아빠와의 분위기가 험악해지면 나에게 갑자기 욕을 하곤 했다. 다 저 애 때문이라면서. 이상하게도 그러면 아빠가 그만 하자는 제스처를 취하고 분위기가 정리되곤 했다. 엄마의 판단엔 자신의 그런 행동이 그나마 가장 평화로운 해결책이라고 생각했고, 실제로 그래서 이후 엄마와 아빠 사이에 폭언이나 폭력을 수반하는 상황까지는 가지 않게 된 이유였을 수도 있다.

나를 때린 엄마의 폭력은 그날이 처음이자 마지막이었지만, 이후로 도 폭언은 수없이 이어졌다.

나는 그녀의 선택이 최선이었을지라도 용서되지 않는다. 그들에게 최선이었지 나에게는 아니었다. 나는 그녀의 몸의 고통에 공감이 가 지 않는다.

*

그녀는 늙었다. 이제 약해져서 자주 병원 신세를 져야 할 것이다. 그 녀가 아프다는 연락을 받을 때마다 나는 엄마를 외면한다는 죄책감 을 느낀다. 하지만 버틴다. 더 이상 가까이 다가갈 수 없다. 함께 하 면 할수록 나를 함부로 대하는 사람이라는 생각이 들 뿐이다. 그리 고 아빠는 과거에 있던 폭력적인 일이, 아무 일도 아닌 것이라고 생 각하는 사람이다.

엄마는 체력적으로 약하지만 내 마음을 찌를 수 있는 칼을 손에 쥐고 있다. 그 칼을 손에서 놓지 않을 것이다. 그리고 내가 나타나는 순간 아 무 죄책감 없이 휘두를 준비가 되어 있는 사람이었다.

나는 건강하지만 그녀의 칼을 막을 무기가 없다. 그녀가 나를 낳았 다는 사실은 나에게 끊임없는 죄책감을 주었다. 그녀는 나를 안 찌를 수도 있지만 찌를 수도 있다. 그녀의 배려에 모든 것이 달려있고, 그럴 때 그녀의 칼이 내 마음을 난도질하는 것을 막을 힘이 없다.

 나는 그냥 당하는 것 말고는 방법이 없다. 그때그때마다 그녀의 선처를 바라는 것 말고는, 내가 할 수 있는 게 없다. 나를 지키기 위해 안간힘을 쓰지만, 그녀의 칼은 무디어지는 날이 없어서 내 마음이 피를 볼 때까지 찌를 수 있었다.

 나에게는 무기가 없다. 막을 힘이 없다. 방법이 없다. 할 수 있는 게 없다. 내가 그녀 앞에 서면 느끼는 감정은 커다란 무력감이었다.

 그녀가 아프다는 연락을 받을 때마다 죄책감을 느낀다. 그걸 느끼며 사는 것도 만만치 않지만 무력감을 동반한 두려움에 떨며 사는 것과는 차원이 다르다. 다시는 그렇게 살고 싶지 않았다. 아무렇지 않은 것은 아니지만 죄책감은 최소한 생존의 위협은 없다.

에필로그

아시아의 미친년

고등학교 입학 후 첫 시험에서 국어시험 답안지를 백지로 제출한 적이 있다.

별 일은 아니었다. 내가 제일 잘 할 수 있는 일을, 내가 망칠 수도 있다는 걸 누군가에게 똑똑히 보여주고 싶었다.

배경이 되는 일이 아예 없는 것은 아니다. 우리가 입학하자마자 돌아다니며 학생들 머리카락 길이를 지적하던 학생주임(담당 과목이 국어였다)이 내 짝에게 머리카락이 심하게 길다며 그 자리에서 가위를 꺼내, '니가 잘라야 하는 길이'라면서 싹둑 잘라버렸다. 내 머리는 교칙에 어긋나지 않은 길이라 눈길도 주지 않고 지나쳐갔지만, 나는 마치 내 머리카락이 잘린 것 같이 오싹한 기분이 들었다.

어쩌면, 초등학교 때 내 팔을 칼로 그은 아이와 그 일에 무관심했던 엄마의 이미지가, 지금 이 학생주임 선생의 이미지에 투영되어 내 분노버튼이 눌린 것일지도 모르겠다.

나는 학생주임 선생에게 빅엿을 주고 싶었다. 아마 이때부터 머릿속으로 복수를 시뮬레이션하는 습관이 시작된 것 같다. 다양한 선택지가 있었지만 결과적으로 내가 선택한 것은 그녀의 과목에 백지를 내기로 한 것이었다.

0점을 맞으면 성적표에 점수가 0.00 으로 표시된다. 엄마는 성적표를 잘못 본 줄 알았다고 했다. 고등학교는 100을 0.00으로 표기하나? 진짜 0점인 것을 알고 엄마는 말했다.

우리 동네 미친년은 너야.

엄마. 엄마는 항상 날 과소평가하더라. 엄마, 나는 이 구역의 미친년이나 동네 미친년 정도가 아니야. 나는 아시아의 **미친년**이라고.

장녀해방일지

초판1쇄발행 2023년 6월 16일
초판2쇄발행 2024년 3월 14일

출판등록 제 2021-00027호 (2021년 3월 26일)
지은이 김시은
펴낸이 김시은

펴낸곳 김앤작컴퍼니
홈페이지 http://brunch.co.kr/@ddocbok2
인스타그램 @gimsieun20

값 13,000원